en 5

Brigitte Lallement • Nathalie Pierret

FIRST
Editions

L'anglais en 5 minutes par jour

© Éditions First-Gründ, 2012

ISBN: 978-2-7540-3607-8
Dépôt légal: mai 2012
Imprimé en Italie

Édition: Benjamin Ducher
Correction: Anne-Lise Martin
Mise en page: Olivier Frenot

Éditions First-Gründ
60, rue Mazarine
75006 Paris

Tél. 01 45 49 60 00
Fax 01 45 49 60 01

E-mail: firstinfo@efirst.com
Site Internet: www.editionsfirst.fr

Introduction

Un livre pour qui ?

Pour tous ceux qui ont fait de l'anglais au collège ou au lycée mais qui – du moins le pensent-ils – ont tout oublié. Eh oui ! Une langue que l'on n'utilise pas disparaît vite dans le fond de notre mémoire.

Pour tous ceux qui aimeraient bien revoir les bases de l'anglais en prévision d'un voyage ou d'une rencontre avec des visiteurs étrangers – ou pour mille autres raisons qui vous appartiennent.

Pour tous ceux qui se disent régulièrement : « Il faudrait vraiment que je me (re)mette à l'anglais mais, avec toutes mes activités, je n'ai pas le temps ! »

Le titre de ce Petit Livre vous donne la clé : « 5 minutes par jour ». Vous n'avez plus aucune excuse : tout le monde peut trouver ces 5 minutes dans sa journée.

À propos de ce Petit Livre

Ce Petit Livre est destiné à solliciter vos neurones pour faire remonter à la surface et faire revivre vos vieux souvenirs des cours d'anglais.

Avec son mini-format si pratique, il tiendra dans votre poche ou dans votre sac à mains. Vous pourrez travailler chez vous ou l'emporter où vous voulez.

Organisation du livre

Dans ce Petit Livre, vous trouverez 60 fiches ponctuées, chacune, par un exercice. Lire la fiche et faire l'exercice ne vous prendront pas plus de 5 minutes!

Nous vous proposons deux sortes de fiches que vous pourrez repérer grâce à leur icône.

Les fiches de grammaire sont classées du plus simple, en début d'ouvrage, aux plus complexes. Vous trouverez les corrigés des exercices en fin d'ouvrage – donc vous pourrez vérifier que vous avez bien compris le contenu de la fiche.

Les fiches de communication contiennent des listes d'expressions ou de mots à connaître pour les utiliser dans telle ou telle situation (indiquée dans le titre). Pour vous permettre de vous exercer, chaque fiche se termine par une mise en situation qui vous demande de rassembler les expressions données. Sauf exceptions, ces tâches ne sont pas corrigées puisque le travail proposé est ouvert.

C'est à vous : faites l'exercice !

En annexe, un chapitre sur la prononciation vous invite à vous exercer à imiter les Anglais.

Le sommaire vous permettra de naviguer dans l'ouvrage en fonction de vos besoins.

**Un livre à mettre dans votre poche
pour progresser vite et bien.**

SOMMAIRE

🗣 1. SALUER LES GENS

> **Comment se comporter quand on rencontre quelqu'un ?**
>
> Si c'est la première fois, on se donne une poignée de mains ou une accolade. Mais nos amis américains sont toujours surpris de voir les bises qui s'échangent au bureau ou à l'université ! Ils se contentent d'un signe de la main et d'une salutation chaleureuse.

- *Bonjour !* (Situations familières et décontractées.)
  Hi!/Hello!
- *Bonjour !* (Un peu plus formel, selon le moment de la journée.)
  Good morning./Good afternoon./Good evening.
- *Comment allez-vous? – Très bien, merci. Et vous ?*
  **How are you? – I'm fine, thanks. How about you?/
  How are you doing? – I'm okay. Thanks. What
  about you?**
- *Ravi de vous rencontrer. – Moi aussi.*
  Nice to meet you. – Nice to meet you too.
- *Je suis content de te rencontrer.*
  It's good to see you.
- *Quoi de neuf ?*
  What's up?

Enchanté !

Si quelqu'un vous dit **How do you do?**, répondez par la même formule : **How do you do?**
Elle équivaut à notre expression « Enchanté ».

Bonjour monsieur/Bonjour madame

On peut choisir une expression formelle, plutôt réservée au commerce ou aux relations hiérarchiques :
Good morning, Madam / Good morning, Sir!
Ou bien une autre, plus courante et plus familière :
Good morning Mrs. Turner! Good morning Mr. Jones.
On ne peut pas employer les appellations **Mrs, Miss** et **Mr.** sans nom propre derrière.

Ne pas confondre !

How are you doing? *Comment allez-vous ?*
What are you doing? *Qu'est-ce que vous êtes en train de faire ?*

 Vous rencontrez un(e) ami(e) d'enfance que vous saluez et à qui vous présentez la personne qui vous accompagne. Rédigez la conversation.

🛎️ 2. SOYONS POLIS !

LES EXPRESSIONS À CONNAÎTRE

■ *J'ai bien peur de ne pas pouvoir vous aider.*
  I'm afraid I can't help you.

■ *Je suis désolé d'être en retard.*
  I'm sorry for being late.

■ *Je vous présente mes excuses.*
  I apologize.

■ *Excusez-moi, je n'ai pas bien compris ce que vous avez dit.*
  I'm sorry, I didn't catch what you said.

■ *Vous pourriez répéter, s'il vous plaît ?*
  Would you mind repeating, please?

■ *Je pourrais avoir un thé, s'il vous plaît ?*
  Could you give me a cup of coffee, please?

■ *Pourriez-vous me rendre un service ?*
  Could you do me a favour ?

■ *Pourriez-vous m'aider, s'il vous plaît ?*
  Could you give me a hand, please?

■ *Je me demande si cela vous dérangerait de m'aider.*
  I wonder if you'd mind helping me.

■ *Si cela ne vous dérange pas.*
  If you don't mind.

■ *Je préférerais ne pas aller au cinéma ce soir.*
  I'd rather not go to the cinema tonight.

Toujours difficile de dire non !

Les Anglais ont une formule... **I'm afraid.**
Si on vous dit : **I'm afraid it might be difficult**, cela veut
vraiment dire « non ».

LES MOTS DE LA POLITESSE

- *ennuyer* | **bother**
- *excuser (s')* | **apologize**
- *gêner* | **disturb**
- *indiscret* | **inquisitive**
- *laisser qq tranquille* | **leave s.o. alone**
- *demander (se)* | **wonder**
- *renseigner (se)* | **enquire**
- *déranger qq* | **trouble s.o.**

Le mot sésame de la politesse

Utilisez le mot **please** pour demander quelque chose – en
toute circonstance – et aussi pour accepter quelque chose
que l'on vous propose.

Voulez-vous une tasse de café ? Oui, volontiers.
Would you like a cup of coffee? Yes, please.

 Vous arrivez en retard chez vos amis
et présentez vos excuses. Rédigez la
conversation.

📖 3. BE

FORMES
Présent
FORME AFFIRMATIVE : **I am – you are – he / she / it is – we are – you are – they are**

FORME CONTRACTÉE : **I'm – you're – he's**, etc.

FORME NÉGATIVE : **I am not – You are not – He / she / it is not – We are not – You are not – They are not**

FORME CONTRACTÉE : **I'm not – he isn't – they aren't**

FORME INTERROGATIVE : **Am I? – Are you? – Is he / she / it? – Are we? – Are you? – Are they?**

Prétérit
FORME AFFIRMATIVE : **I was – You were – He / she / it was – We were – You were – They were**

FORME NÉGATIVE : **I was not – You were not – He / she / it was not – We were not – You were not – They were not**

FORME CONTRACTÉE : **wasn't – weren't**

FORME INTERROGATIVE : **Was I? – Were you? – Was he / she / it? – Were we? – Were you? – Were they?**

EMPLOIS
Be, auxiliaire
Be peut indiquer le temps ou l'aspect d'un autre verbe.
Jimmy is smiling.
Jimmy sourit.

Be, verbe d'état

Be **indique une propriété du sujet.** Il équivaut souvent au verbe « être » mais, parfois, on le traduit par « avoir », « aller » ou « mesurer ».

■ Description : *Ils sont chers.* | **They are expensive.**
■ Identification : *Elle est américaine.* | **She is American.**
■ Âge : *Il a 12 ans.* | **He is 12.**
■ Couleur : *C'est bleu.* | **It's blue.**
■ Taille/poids : *Elle mesure 5 pieds.* | **She is 5 feet tall.**
■ État physique : *J'ai faim/froid.* | **I am hungry/cold.**
■ Autres états : *Il a peur / raison / tort / de la chance.* **He is afraid / right / wrong / lucky.**

Be **situe le sujet dans le temps ou l'espace.**
■ *La mairie est là-bas.* | **The city hall is over there**.

Be **s'emploie dans des expressions impersonnelles.**
■ *Il fait froid / chaud / très chaud.* | **It's cold / warm / hot.**

Be **sert à former *there is*** (+ nom singulier) / ***there are*** (+ nom pluriel), expression qui équivaut à « il y a ».
■ *Il n'y a pas de théâtre mais il y a des cinémas.* | **There is no theatre but there are cinemas.**

✍ Traduisez en anglais.
   a. Quel âge a-t-il ? Il a 29 ans.
   b. As-tu faim ? As-tu froid ?
   c. Est-ce qu'il y a une machine à café ici ?

📖 4. HAVE

FORMES
Forme affirmative
Présent : **I have – you have – he / she / it has – we have – you have – they have**
Forme contractée (pour l'auxiliaire uniquement) : **I've – you've – he's...**
Prétérit : **had** à toutes les personnes.
Forme contractée (pour l'auxiliaire) : **'d**

Formes interrogative et négative
Have, auxiliaire
Forme interrogative : **Have I? Have you?...**
Have you seen this film?
Avez-vous vu ce film ?
Forme négative : **I have not, you have not...**
Forme contractée : **haven't – hasn't – hadn't**.

Have, verbe lexical, se conjugue avec **do / does / did**, comme les autres verbes.
- *As-tu une voiture ? – Je n'ai pas de voiture.*
  Do you have a car? – I don't have a car.
- *Avait-il une voiture ? – Il n'avait pas de voiture.*
  Did he have a car? – He did not have a car.

EMPLOIS

Have, auxiliaire

Il indique l'aspect avec le participe passé d'un verbe
(forme **have V-en**).

- *Elle a travaillé dans une banque.*
  She's worked in a bank.

Have, verbe lexical

Il exprime la possession ou le lien de parenté, comme le
verbe « avoir ».

- *As-tu un ordinateur ? – Non, je n'en ai pas.*
  Do you have a computer? – No, I don't have one.

Have se traduit par « prendre », « faire » ou d'autres
verbes dans certains emplois.

- **Have breakfast / dinner / a pizza / a drink.**
  *Prendre le petit déjeuner / son dîner / une pizza / un
  verre.*
- **Have a bath / a shower.** | *Prendre un bain / une
  douche.*
- **Have a walk.** | *Faire une promenade.*
- **Have a good time.** | *S'amuser.*

 Traduisez en français.

  a. I have a bath when I get home.
  b. I've had a very good time.
  c. He's always wrong.
  d. I have breakfast at 7:30.
  e. My brother is 26.

🗣 5. DÉCRIRE LES PERSONNES

AVEC LE VERBE BE
La taille | **Height**
- *grand* | **tall**
- *petit* | **short**
- *moyen* | **medium height**

La corpulence | **Build**
- *mince* | **slim/thin**
- *potelé* | **plump**
- *gros* | **fat**
- *maigre* | **skinny**
- *carré* | **well-built**

L'âge | **Age**
- *jeune* | **young**
- *âgé* | **elderly**
- *d'âge moyen* | **middle-aged**
- *adolescent* | **teenager**

Pour dire l'âge

Attention ! On emploie **be** et jamais **have**.
J'ai 32 ans.
I am 32 (years old).
Il a la trentaine.
He is in his thirties.

AVEC LE VERBE HAVE
Le visage | **Face**

- *rond* | **round**
- *carré* | **square**
- *ridé* | **wrinkled**
- *taches de rousseur* | **freckles**
- *bronzé* | **sun-tanned**
- *pâle* | **pale**
- *yeux bleus* | **blue eyes**
- *yeux bruns* | **brown eyes**

Les cheveux | **Hair**

- *chauve* | **bald**
- *raides* | **straight**
- *bouclés* | **curly**
- *ondulés* | **wavy**

Les cheveux et les poils

C'est le même mot – mais pour les cheveux, on ne met pas d'**s**. Hair équivaut au mot français « chevelure ».
She's got long, dark hair.
Elle a de longs cheveux foncés.
Si on veut parler de « poils », on met un -**s**.

 Quelqu'un va chercher votre ami à la gare. Vous décrivez cet ami qui est grand, un peu chauve, et qui a les yeux bleus. Il a environ 35 ans.

🎧 6. LES PRÉSENTATIONS

SE PRÉSENTER

■ *Comment vous appelez-vous ? – Pierre Martin.*
  What's your name? – My name is Pierre Martin.

■ *Quel âge avez-vous ? – J'ai 27 ans.*
  How old are you? – I'm 27 (years old).

■ *Quelle est votre date de naissance ?*
  When were you born?

■ *Je suis né(e) le 5 novembre.*
  I was born on November the 5th.

■ *Où habitez-vous ?*
  Where do you live?

■ *D'où venez-vous ?*
  Where are you from?

■ *Pouvez-vous me donner votre adresse ?*
  Can you give me your address, please?

■ *N'oubliez pas votre passeport.*
  Don't forget your passport!

■ *Que faites-vous ?*
  What do you do?

■ *Où travaillez-vous ?*
  Where do you work?

■ *Que faites-vous dans la vie ?*
  So what do you do with yourself?

> **Questions de noms**
>
> Il y a de quoi s'y perdre !
> Le prénom : **Christian name, first name, given name**.
> Le nom : **surname, last name**.
> Le nom de jeune fille : **maiden name, family name**.
> Le surnom : **nickname**.

PRÉSENTER QUELQU'UN

- *Bonjour. Je suis Peter (Dexter).*
  Hi. I'm Peter (Dexter).
- *Mon ami Jill.*
  This is my friend, Jill.
- *Voici mon père, M. Dexter.*
  This is my father, Mr Dexter.
- *Je voudrais vous présenter à mon meilleur ami.*
  I'd like to introduce you to my best friend.

> **Qui présenter ?**
>
> **My brother** mon frère
> **My sister** ma sœur
> **My teacher** mon professeur
> **My friend** mon ami/amie

 Vous arrivez en visite dans une entreprise et êtes reçu par le directeur. Rédigez la conversation : vous vous présentez et le directeur vous accueille.

📖 7. LES PRONOMS PERSONNELS

Les pronoms personnels peuvent être sujets ou compléments.

LES PRONOMS SUJETS

(je, tu, il/elle, nous, vous, ils/elles)

	Singulier	Pluriel
1re personne	**I**	**we**
2e personne	**you**	**you**
3e personne	**he / she / it**	**they**

Il n'y a pas de tutoiement en anglais : **you** vaut pour le singulier et le pluriel.
À la troisième personne du singulier, on distingue le féminin du masculin et du neutre. Au pluriel, **they** s'emploie aussi bien pour les humains que les animaux ou les objets, au masculin comme au féminin ou au neutre.

> **Le neutre**
>
> On utilise le neutre **it** pour tout ce qui n'est pas humain : objets, animaux, notions, etc.

LES PRONOMS COMPLÉMENTS
(me, toi, lui/elle, nous, vous, les/eux)

	Singulier	Pluriel
1re personne	**me**	**us**
2e personne	**you**	**you**
3e personne	**him / her / it**	**them**

Les pronoms personnels se placent toujours juste après le verbe dont ils sont compléments.

■ *Ils nous ont donné un cadeau.*
   They gave us a present.

Les pronoms personnels peuvent être introduits par une préposition.

■ *Cette maison est hantée. Il y a un fantôme dedans.*
   This house is haunted. There is a ghost in it.

 Traduisez en anglais.

   a. Voulez-vous venir avec nous ?
   b. C'est mon amie Harriet. Tu la connais ?
   c. Mes sacs sont lourds. Il y a des bouteilles dedans.
   d. Regarde cette branche. Il y a un oiseau dessus.

📖 8. COMPTER DE 1 À 100

COMPTER DE 1 À 19

- **one – first** | *un – premier*
- **two – second** | *deux – second*
- **three – third** | *trois – troisième*
- **four – fourth** | *quatre – quatrième*
- **five – fifth** | *cinq – cinquième*
- **six – sixth** | *six – sixième*
- **seven – seventh** | *sept – septième*
- **eight – eighth** | *huit – huitième*
- **nine – ninth** | *neuf – neuvième*
- **ten – tenth** | *dix – dixième*
- **eleven – eleventh** | *onze – onzième*
- **twelve – twelfth** | *douze – douzième*
- **thirteen – thirteenth** | *treize – treizième*
- **fourteen – fourteenth** | *quatorze – quatorzième*
- **fifteen – fifteenth** | *quinze – quinzième*
- **sixteen – sixteenth** | *seize – seizième*
- **seventeen – seventeenth** | *dix-sept – dix-septième*
- **eighteen – eighteenth** | *dix-huit – dix-huitième*
- **nineteen – nineteenth** | *dix-neuf – dix-neuvième*

Le zéro

Nought (en américain **zero**). Il se lit comme la lettre « o » dans les numéros de téléphone, les numéros de bus et de chambre d'hôtel.

LES DIZAINES

- **twenty** | *vingt*
- **thirty** | *trente*
- **forty** | *quarante*
- **fifty** | *cinquante*
- **sixty** | *soixante*
- **seventy** | *soixante-dix*
- **eighty** | *quatre-vingt*
- **ninety** | *quatre-vingt-dix*

> **Les nombres ordinaux**
>
> On remplace la terminaison **-y** par **-ieth**.
> **The fortieth: the 40th.**
> **The ninetieth: the 90th.**

LES NOMBRES COMPOSÉS

On met un trait d'union entre les dizaines et les unités.

- *Ils y avait 21 filles et 36 garçons.*

  There were twenty-one girls and thirty-six boys.

 Entraînez-vous à compter de 1 à 100. À l'endroit... puis à l'envers !

📖 9. COMPTER APRÈS 100

LES CENTAINES

Pour parler des centaines, on utilise le mot **hundred**.
On le fera précéder du nombre de centaines et on y
ajoute les unités précédées de **and**.

- 100 : **one hundred**
- 608 : **six hundred and eight**
- 425 : **four hundred and twenty-five**

> Les Américains n'ajoutent pas forcément **and**.
>
> 230 : **two hundred and thirty** (UK)
>   **two hundred thirty** (US)

LES MILLIERS

Le mot **thousand** indique le millier. Il est précédé du
nombre de milliers et directement suivi des centaines.

- 1 000 : **one thousand**
- 2 465 : **two thousand, four hundred and sixty-five**

En anglais, une virgule sépare les milliers des centaines,
y compris quand on utilise des chiffres.

- 3,652 : **three thousand, six hundred and fifty-two**

Le point est réservé aux décimales.

- 12.5 : **twelve point five**

ET AU-DELÀ

- **one billion** : *un milliard*
- **one trillion** : *un billion*

Un -s ou pas d'-s ?

Les mots **hundred**, **thousand** et **million** ne prennent pas **s** dans un nombre.

There were three thousand people.

Il y avait trois mille personnes.

En revanche, ils peuvent prendre un **-s** quand ils sont utilisés comme noms (centaine, millier, million).

There were thousands of people.

Il y avait des centaines de personnes.

 Prononcez ces nombres, puis écrivez-les en toutes lettres.

426 ; 1 258 ; 9 999 ; 12 546 ; 15 674

 Traduisez.

Il y avait trois mille personnes et des centaines de chiens.

🖎 10. DIRE L'HEURE

QUELLE HEURE EST-IL ?

Les Anglais ont deux manières de poser cette question
fort utile.

What's the time?

What time is it?

POUR DONNER L'HEURE

Pour donner les heures « pleines ».

On ajoute souvent **o'clock** (= **of the clock**, à la
pendule).

■ **It's twelve o'clock.** | *Il est midi.*

Pour donner les heures « non pleines ».

On mentionne d'abord les minutes (avant ou après
l'heure), puis on indique l'heure.

On utilise :

. **past** pour tout ce qui est entre l'heure et la demie
(donc *après* l'heure) ;

. **to** pour tout ce qui est après la demie (donc *avant*
l'heure).

■ *Il est 3 heures* | **It's three o'clock**

■ *Il est 3 h 5* | **It's five past three**

■ *Il est 3 h 10* | **It's ten past three**

■ *Il est 3 heures et quart* | **It's a quarter past three**

■ *Il est 3 heures et demie* | **It's half past three**

■ *Il est 4 heures moins le quart* | **It's a quarter to four**

■ *Il est 4 heures moins 10* | **It's ten to four**
Si on veut être très précis, on ajoute le mot **minutes**.
■ *Il est 10 heures moins 2.* | **It's two minutes to ten.**

> Aux États-Unis comme en Grande-Bretagne, on distingue :
> . les heures du matin en ajoutant **a.m.** (pour l'expression latine *ante meridiem*)
> . les heures de l'après-midi en ajoutant **p.m.** (pour l'expression latine *post meridiem*)
>
> *Il est 14 heures.*
> **It's 2 p.m.**
>
> On utilise le système européen de 1 à 24 heures seulement pour les horaires de trains, avions et autres moyens de transport.

 Écrivez en toutes lettres les horaires du bus.
Departure: 7:15, 9:55, 2:20 p.m.
Arrival: 9:25, 12:05, 4:30 p.m.

 Traduisez.
Aujourd'hui, nous aurons une réunion de 15 h 45 à 18 h 30. Essayez d'être là à 15 h 40.

🎙 11. DIRE LA DATE

QUEL JOUR ?
Pour connaître la date du jour :
What's the day today?
Pour interroger sur d'autres dates, on utilise **when**.

LES JOURS DE LA SEMAINE
La semaine britannique commence le dimanche
(**Sunday**), et non le lundi (**Monday**).
**Sunday, Monday, Tuesday, Wednesday, Thursday,
Friday, Saturday**

LES MOIS DE L'ANNÉE
**January, February, March, April, May, June, July,
August, September, November, December**

> **Des majuscules**
>
> On met une majuscule aux noms de jour et de mois.
> **I'll come next Monday.**
> *Je viendrai la semaine prochaine.*

DIRE LA DATE
À l'anglaise
On donne d'abord le jour, puis le mois, le numéro (**1st,
2nd, 10th**, etc.) et enfin l'année.
Jeudi 9 juin 2012.
On écrit : **Thursday, June 9th, 2012.**

On dit : **Thursday, the ninth of June, twenty-twelve.**

À l'américaine

On donne d'abord le mois, puis le numéro du jour.

Jeudi 9 juin 2012.
Thursday 9 June, 2012.

SITUER DANS LE TEMPS

- **yesterday** | *hier.*
- **tomorrow** | *demain*
- **early** | *tôt*
- **late** | *tard*
- **a long time ago** | *il y a longtemps*
- **last week** | *la semaine dernière*
- **next month** | *le mois prochain*

Dites ces dates en anglais, à l'américaine d'abord, puis à l'anglaise. Ensuite, écrivez-les des deux façons possibles.

a. Lundi 25 janvier

b. Vendredi 13 février

c. Jeudi 14 novembre

d. Samedi 20 mars

📖 12. CONJUGUER LE PRÉSENT SIMPLE

À LA FORME AFFIRMATIVE

Aux 1re et 2e personnes du singulier et à toutes les personnes du pluriel : sujet + V.
I / you / we / they like. | J'aime / tu aimes / nous aimons / vous aimez / ils aiment.

À la 3e personne du singulier : sujet + V + s
He / she / it likes. | Il aime / elle aime.

> **Aux formes interrogative et négative**
>
> On a besoin de l'auxiliaire **do** (**does** à la 3e personne du singulier) sauf pour le verbe **be**.

À LA FORME INTERROGATIVE

On utilise **do/does** qui se place avant le sujet.

- **Do you like tea? Does Jimmy like tea?**
  Est-ce que vous aimez le thé ? Est-ce que Jimmy aime le thé ?

À LA FORME NÉGATIVE

On utilise **do/does** + **not** + V

- **You don't like tea and Jane doesn't like coffee.**
  Tu n'aimes pas le thé et Jane n'aime pas le café

On utilise souvent, en particulier à l'oral, une forme contractée : **don't – doesn't**.

ORTHOGRAPHE DE LA 3ᵉ PERSONNE DU SINGULIER

En règle générale, on accole le **-s** à la base verbale.
work → he works

Pour les verbes terminés par **-s**, **-sh**, **-ch**, **-o**, on accole **es**.
catch → she catches ; go → he goes

Pour les verbes terminés par **-y**, le **-y** se transforme en **ies**.
hurry → he hurries

> **Attention,** cette dernière modification ne s'applique pas aux verbes terminés en **-ay**, **-ey** ou **-uy**.
>
> **say → says | obey → obeys | buy → buys**

 Remplacez le sujet par **he.**
  a. They teach English.
  b. We earn a lot of money.
  c. I do the washing-up every evening.
  d. They drive to school every morning.

 Mettez ces phrases à la forme interrogative, puis à la forme négative.
  a. John works in London.
  b. They go to Canada every summer.
  c. She sells exotic fruit.
  d. I think so.

📖 13. CONJUGUER LE PRÉSENT BE + V-ING

À LA FORME AFFIRMATIVE

Le présent **be + V-ing** se compose de l'auxiliaire **be** conjugué au présent (**am / is / are**) et de la base verbale à laquelle on accole la terminaison -**ing**.

■ **I am busy; I am working.**
Je suis occupée ; je travaille.

La plupart du temps à l'oral, l'auxiliaire **be** n'est pas accentué et prend sa forme contractée.

I am → I'm
You / we / they are → You / we / they're
He is / she is / it is → He's / she's / it's.

La terminaison -ing

Elle n'est jamais accentuée, et ne se prononce pas /-ing/ comme le font les Français dans le mot « parking », mais le **g** final ne s'entend presque pas.

À LA FORME INTERROGATIVE

L'auxiliaire **be** conjugué passe devant le sujet pour marquer qu'il s'agit d'une question.

■ **Jenny is sleeping. Is David sleeping too?**
Jenny dort. Est-ce que David dort aussi ?

À LA FORME NÉGATIVE

La négation **not** suit directement l'auxiliaire **be**.

■ **She is not working right now.**
Pour l'instant elle ne travaille pas.

On a le choix là encore entre la forme pleine et la forme contractée, le plus souvent utilisée à l'oral.

■ **You aren't listening to me!**
Tu ne m'écoutes pas !

■ **She isn't going home.**
Elle ne rentre pas chez elle

ORTHOGRAPHE

En règle générale on ajoute **-ing** à la base verbale.
go → going

Si le verbe se termine par **-e**, le **e** disparaît.
drive → driving

Si le verbe se compose d'une seule syllabe terminée par une consonne, la consonne est doublée.
cut → cutting

 Faites des phrases au présent **be V-ing** à partir des éléments suivants. Attention à la ponctuation !

a. He – sit – in front of his wife.
b. You – come – with us?
c. She – not – go – to work today.
d. They – play – in the garden?
e. She – play – the piano, it's beautiful.
f. They – not – work – they – watch TV.

📖 14. UTILISER LE PRÉSENT

LE PRÉSENT SIMPLE

Il permet de donner une information générale à propos du sujet.

- *Julie travaille à Hampton.*
  Julie works in Hampton.

Il exprime une habitude, un fait habituel.

- *Il fait les courses tous les samedis matin.*
  He goes shopping every Saturday afternoon.

Il exprime un état, un sentiment ou une opinion.

- *Elle n'aime pas le thé.*
  She doesn't like tea.

Accompagné d'un marqueur de temps futur, il fait référence à un avenir qui ne dépend pas de l'énonciateur : horaire, emploi du temps, etc.

- *Le train part dans cinq minutes.*
  The train leaves in five minutes.

> Avec le présent simple, on donne une information sans faire de commentaire. Avec le présent **be + V-ing**, on interprète ce que l'on voit.

LE PRÉSENT BE + V-ING

Il permet de décrire ce que l'on voit, ce que l'on entend.

- *Chut ! Le bébé pleure.*
  hhhh! The baby is crying.

Accompagné d'un marqueur de temps futur, il fait référence à l'avenir pour marquer une décision, un projet ou une intention.

■ *Nous partirons cet après-midi.*
  We're leaving this afternoon.

Utilisé avec l'adverbe **always**, il indique une certaine irritation.

■ *Tu n'arrêtes pas de te moquer de moi !*
  You're always laughing at me!

 Mettez les verbes à la forme qui convient : présent simple ou présent be + V-ing.

  a. Look! She (*wear*) the same dress as mine.
  b. They (*watch*) TV again. They should go to bed now!
  c. Where (*you + live*)? In England, or in the USA?
  d. The sun (*rise*) in the east.
  e. They (*say*) they (*travel*) a lot.

 Traduisez ces phrases.

  a. Pfff, elle pleure tout le temps !
  b. Ils adorent tout ce qui vient d'Inde.
  c. Dans cette école, les élèves portent l'uniforme.
  d. Je vais régulièrement chez le coiffeur.

🗣 15. QUAND ON EST INVITÉ

INVITER QUELQU'UN

- **Would you like to come for dinner?**
  Cela vous dirait de venir dîner ?
- **I'd like to invite you to lunch.**
  Je voudrais vous inviter à déjeuner.
- **How about going to the cinema?**
  Et si on allait au cinéma ?

ACCEPTER UNE INVITATION

- **Sure. Thank you for inviting me.**
  Oui. Merci de m'inviter.
- **Thanks! That sounds like fun.**
  Merci. Ça a l'air sympa.
- **OK. Let's meet at 4:30.**
  D'accord. Rendez-vous à 4 h 30.

DÉCLINER UNE INVITATION

- **I can't. I'm sorry.**
  Je ne peux pas. Désolé(e).
- **Thanks. But I have an appointment at that time.**
  Je suis désolé, mais j'ai un rendez-vous à cette heure-là.
- **I'd rather not go out tonight.**
  Je préférerais ne pas sortir ce soir.

ACCUEILLIR QUELQU'UN

- **Welcome! Do come in!**
  Bienvenue. Entrez donc !

■ **It's so nice of you to come and visit us!**
C'est si gentil à vous de venir nous voir.

■ **May I offer you a drink?**
Puis-je vous offrir un verre ?

> Les anglophones ne s'embrassent pas quand ils se rencontrent.
> Contentez-vous d'un sourire et d'un signe de la tête ; cela
> évitera de les mettre mal à l'aise.

PRENDRE CONGÉ

■ **Now I've got to go.**
Maintenant, il faut que je parte.

■ **It was lovely meeting you.**
Je suis ravi(e) de vous avoir rencontré.

■ **Thanks for asking me out.**
Merci de m'avoir invité(e) (après une sortie).

■ **Thank you. Bye... Take care.**
Merci. Au revoir. Prends soin de toi.

■ **Let's keep in touch!**
Restons en contact.

Vous invitez votre collègue de travail qui
vient d'arriver dans l'entreprise à venir dîner
chez vous. Rédigez la conversation, de votre
invitation à son arrivée.

16. PARLER DU TEMPS QU'IL FAIT

POUR LANCER LA CONVERSATION

- **Nice weather, isn't it?**
  Quel beau temps !
- **Glorious day, isn't it?**
  Quelle journée superbe !
- **Can you believe this weather?**
  Ce temps est incroyable !
- **What's the weather like today?**
  Quel temps fait-il aujourd'hui ?

Un sujet inépuisable en Grande-Bretagne

Rien de tel que de parler du temps pour entamer une conversation. Toutefois, ne vous avisez pas de vous plaindre de la pluie qui n'a pas cessé depuis quatre jours… Laissez aux Britanniques le privilège de reconnaître quelques petits désagréments…

LES TYPES DE TEMPS

- **It's windy.** | *Il fait du vent.*
- **It's sunny.** | *Il fait du soleil.*
- **It's raining.** | *Il pleut.*
- **It's pouring down.** | *Il pleut à verse.*

LA TEMPÉRATURE

- **It's cold.** | *Il fait froid.*
- **It's warm.** | *Il fait chaud.*
- **It's hot.** | *Il fait très chaud.*

- **It's chilly and damp.**
  Il fait frais et humide.
- **It's freezing cold!**
  Il fait glacial !
- **It's scorching hot.**
  Il fait une chaleur accablante.
- **I am really cold.**
  J'ai vraiment froid.

LA MÉTÉO

- **Did you hear the weather forecast?**
  Vous avez entendu la météo ?
- **There might be some rain over the Highlands.**
  Il se pourrait qu'il pleuve sur les Highlands.
- **Chilly temperatures are expected.**
  On prévoit des températures fraîches.
- **It will be cloudy with sunny spells.**
  Il y aura des nuages avec des éclaircies.
- **Heavy snow falls are expected.**
  De fortes chutes de neige sont attendues.

Vous rencontrez une personne que vous ne connaissez pas très bien. Il fait un temps horrible – froid et pluie battante. Rédigez le dialogue.

📖 17. CONJUGUER LE PRÉTÉRIT

LE PRÉTÉRIT SIMPLE

À LA FORME AFFIRMATIVE, le prétérit n'a qu'une forme. Pour les verbes réguliers : V + -ed

live → lived

Certains verbes sont irréguliers, et ont une forme spécifique (voir p. 00).

> **Le cas de « be »**
>
> **Be** a deux formes au prétérit : **was** après **I, he, she, it** et **were** pour toutes les autres personnes.

À LA FORME INTERROGATIVE, on utilise l'auxiliaire **did**, qui se place alors devant le verbe. Celui-ci retrouve sa forme verbale originale.

■ **Did you go to the restaurant yesterday? Where did you go?**

Tu es allé au restaurant hier ? Où es-tu allé ?

L'auxiliaire **did** s'utilise également à la forme négative avec la négation **not**. On utilisera le plus souvent la forme contractée **didn't**.

■ **They did not / didn't see you.** | *Ils ne t'ont pas vue.*

LES MODIFICATIONS ORTHOGRAPHIQUES.

- Verbes terminés par -**e** : V + -**d**

love → loved

– Verbes terminés par une consonne + -**y** : V + -**ied**

hurry → hurried
– Verbes terminés par une seule voyelle et une
consonne : la consonne est doublée
slip → slipped

LE PRÉTÉRIT BE + V-ING

Comme pour le présent, il est possible d'utiliser une
forme du prétérit en **be + V-ing**. L'auxiliaire **be** est à sa
forme du prétérit : **was/were**.

FORME AFFIRMATIVE : Sujet + **was/were** + **V-ing**
FORME INTERROGATIVE : **Was/were** + sujet + **V-ing** + ?
FORME NÉGATIVE : Sujet + **was/were** + **not** + **V-ing**

■ **Were you sleeping? – No, I was not sleeping, I**
  was reading.
  Est-ce que tu dormais ? – Non, je ne dormais pas, je
  regardais la télévision.

 Répondez à ces questions par des phrases
complètes.
  a. Where did you buy that? (*supermarket*)
  b. What was she doing? (*watch TV*)
  c. Did they like the film? (*no – hate*)
  d. When did she go home? (*last week*)
  e. Were they working? (*no - cook - dinner*)

 Mettez ces verbes au prétérit.
  Like - open - chat - stay - love - cry - rob

📖 18. UTILISER LE PRÉTÉRIT

LE PRÉTÉRIT SIMPLE

On utilise le prétérit pour parler d'un fait ou d'un état passés, généralement datés (explicitement ou implicitement) et terminés.

- **He lived in New York then.** | *Il habitait à New York à ce moment-là.*

Avec le prétérit simple, on parle de manière objective. On s'en sert, notamment, pour raconter un fait ou une série de faits successifs passés.

- **He bought some bread and went back home.** | *Il a acheté du pain et est rentré chez lui.*

Le prétérit peut également indiquer qu'un fait est imaginaire, sans lien avec la réalité. On l'utilise par exemple après les verbes **imagine, suppose, fancy** ou après la conjonction **if**.

- **Imagine you won the lottery!** | *Imagine, si tu gagnais à la loterie.*

> **Used to + V**
>
> Cette forme est utilisée pour souligner le contraste avec le présent et indiquer qu'une action ou un état sont révolus.
>
> **He used to be a teacher.**
> *Il était professeur.* (Sous-entendu : il n'est plus professeur.)

LE PRÉTÉRIT BE + V-ING

Avec le prétérit **be + V-ing**, l'énonciateur décrit ce qu'il voyait ou savait à un moment donné du passé.

Cette forme est souvent utilisée pour décrire ce qui se passait au moment où un évènement (celui qu'on est en train de raconter) s'est produit.

■ **He entered the room where Mary was sleeping.**
  Il entra dans la pièce où Mary dormait.

On utilise souvent cette forme avec les verbes exprimant une attitude physique comme **stand** (être debout), **sit** (être assis), **lie** (être couché), **kneel** (être à genoux).

■ **He was standing by the window.**
  Il était debout à côté de la fenêtre.

 Mettez les verbes à la forme du prétérit qui convient.

a. She (walk) quietly. Suddenly a car (stop) next to her.

b. He (see) the shoes he (want), (enter) the shop and (buy) them.

c. He (have) a shower when someone (knock) at the door.

d. It (be) a quiet evening. The children (playing) cards and their parents (have) dinner with some friends.

e. He (not see) the car: he (talk) on his mobile phone.

🗣️ 19. AU RESTAURANT

ARRIVER AU RESTAURANT

- *C'est pour combien de personnes ?*
  How many people?
- *Une table pour deux ?*
  A table for two?
- *Désolé, mais nous sommes complets.*
  Sorry but we are full.
- *Puis-je vous apporter quelque chose à boire ?*
  Can I get you something to drink?
- *Voici le menu.*
  Here's the menu.

PASSER UNE COMMANDE

- *Puis-je prendre votre commande ?*
  May I take your order?
- *Je n'ai pas encore fait mon choix.*
  I haven't decided yet.
- *Quel est le plat du jour ?*
  What's today's special ?
- *Nous prendrons le menu à 25 euros.*
  We'll take the €25 set menu.
- *Comment désirez-vous votre steak ?*
  How would you like your steak?
- *Puis-je avoir une bouteille d'eau, s'il vous plaît ?*
  May I have a bottle of water, please?

Le degré de cuisson de la viande

à point | **medium**
bien cuit | **well-done**
bouilli | **boiled**
grillé | **grilled**
saignant | **rare**

RÉGLER L'ADDITION

■ *Pourrais-je avoir l'addition, s'il vous plaît ?*
  Could I get the bill, please?
■ *Votre repas vous a plu ?*
  Did you enjoy your meal?
■ *Le service est-il compris ?*
  Is service included?
■ *Il y a un problème avec l'addition.*
  There's something wrong with our bill.

Service non compris

En Grande-Bretagne comme aux États-Unis, le service n'est généralement pas inclus dans l'addition. Il est de tradition d'ajouter environ 15 % à la note pour le service.
Service not included.

 Vous arrivez au restaurant et vous commandez un steak avec des frites, une glace et une bouteille d'eau. Rédigez la conversation avec le serveur.

🗣️ 20. AU PUB

ALLER AU PUB

> **Obtenir sa boisson**
>
> En Grande-Bretagne, on va au bar chercher et payer sa boisson.
> Aucun serveur ne vient prendre votre commande !

- *Allons boire un pot.*
  Let's go for a drink.
- *Que voulez-vous boire ?*
  What would you like to drink?
- *Puis-je vous offrir une boisson ?*
  Can I treat you to a drink?
- *Cette tournée est pour moi.*
  This round is on me.
- *Je vous retrouverai au pub.*
  I'll meet you down the pub.
- *Si on jouait aux fléchettes ?*
  Why don't we have a game of darts?

> **Dans quelle salle ?**
>
> L'accès au pub est strictement règlementé pour les mineurs,
> même accompagnés. Ceux-ci n'ont accès qu'à la **family room**,
> et uniquement pour s'y restaurer.

LES MOTS DU PUB

- commander | **order**

- fléchettes | **darts**
- jeux de pub | **pub quiz**
- boisson | **beverage**
- boisson non alcoolisée | **soft drink**
- bouteille | **bottle**
- brasserie | **brewery**
- canette | **can**
- carafe | **jug**
- eau du robinet | **tap water**
- eau plate | **still water**
- eau gazeuse | **sparkling water**
- glaçons | **ice cubes**
- limonade | **lemonade**
- liqueur | **liquor**
- vin | **wine**

Le pays des brasseurs

bière à la pression | **draught beer**
un demi-litre | **a pint of beer**
25 cl | **half a pint**
bière blonde (légère) | **ale**
bière blonde (plus corsée) | **lager**
bière brune | **brown beer**

 Vous arrivez au pub et commandez une bière.
On vous dit qu'elle coûte 30p. Rédigez la
conversation avec le barman.

🧑 21. À L'HÔTEL

RÉSERVER SA CHAMBRE

- *Je voudrais réserver une chambre pour une nuit.*
  I'd like to reserve/book a room for one night.
- *Auriez-vous une chambre libre pour deux personnes ?*
  Would you have a double room available?
- *Est-ce qu'il vous reste des chambres ?*
  Do you have any vacancies?
- *Combien de temps resterez-vous ?*
  How long will you be staying?
- *Le petit déjeuner est compris.*
  Breakfast is included.

ARRIVER À L'HÔTEL

- *Bonjour, j'ai réservé une chambre.*
  Hi, I'd like to check in. I have a reservation.
- *J'ai réservé une chambre double pour deux nuits.*
  I have booked a double room for two nights.
- *À quelle heure est le petit déjeuner ?*
  What time is breakfast served in the morning?
- *Est-ce que je règle maintenant ou au moment du départ ?*
  Do I pay now or at checkout?

LES MOTS DE L'HÔTEL

- *avec salle de bains* | **with bath**
- *chambre double* | **double room**
- *chambre familiale* | **family room**

- *chambre simple* | **single room**
- *chambres libres* | **vacancies**
- *clé* | **key**
- *complet* | **no vacancies**
- *enregistrer (s')* | **check in**
- *étage* | **floor**
- *lit supplémentaire* | **extra bed**
- *lits jumeaux* | **twin beds**
- *numéro de chambre* | **room number**
- *réception* | **reception**
- *réceptionniste* | **receptionist**
- *service d'étage* | **room service**
- *remplir un formulaire* | **fill in a form**
- *réserver* | **make a reservation**
- *réserver à l'avance* | **book in advance**

Quel étage ?

Attention, aux États-Unis le rez-de-chaussée compte pour un étage. Si on vous dit : **Your room is on the second floor**, rendez-vous au premier !

Vous décidez de partir en vacances avec vos trois enfants. Vous téléphonez pour réserver des chambres. Demandez les renseignements nécessaires ! Rédigez la conversation.

📖 22. LES QUESTIONS

On distingue deux types de questions : les questions fermées et les questions ouvertes.

LES QUESTIONS FERMÉES

Pour les formuler, on fait passer l'auxiliaire devant le sujet de la phrase.

- **Have you seen John?**

  Avez-vous vu John ?

Au présent ou au prétérit simple, quand le verbe ne comporte pas d'auxiliaire, on utilise **do/does** ou **did**. Dans ce cas, le verbe est la simple base verbale.

- **Do you often do the washing up?**

  Fais-tu souvent la vaisselle ?

> En français on utilise volontiers, pour les questions fermées, la structure : « Est-ce que… ? » Cette forme n'a pas d'équivalent en anglais, c'est l'inversion auxiliaire/sujet qui permet d'indiquer que l'on pose une question.

LES QUESTIONS OUVERTES

Elles permettent d'obtenir des renseignements. Elles commencent par un pronom ou un adverbe interrogatif. Comme dans les questions fermées, le sujet est précédé d'un auxiliaire.

- **Where do you live?**

  Où habitez-vous ?

> **Be**, même quand il est un verbe, se comporte comme un auxiliaire et se place devant le sujet.
> **Is he rich?** | *Est-ce qu'il est riche ?*
> Quand le pronom interrogatif est sujet, il n'y a pas besoin d'auxiliaire.

■ **Who broke that glass?**
  Qui a cassé ce verre ?

On choisit le mot interrogatif en fonction du type d'information que l'on veut obtenir.
■ **Who** : l'identité d'un être humain
■ **What** : la nature d'un objet inanimé
■ **When** : le moment
■ **Where** : le lieu
■ **Why** : la cause
■ **Which** : un choix entre deux éléments
■ **Whose** : l'identité du possesseur
■ **How** : la manière
■ **How old** : l'âge
■ **How far** : la distance
■ **How long** : la durée
■ **How often** : la fréquence

 Posez les questions qui vous permettent d'obtenir les éléments manquants.
  a. They were looking for …
  b. The movie starts at …
  c. … told me she was sick.
  d. I go to the hairdresser's every …

📖 23. LES PRÉPOSITIONS DE LIEU

Elles permettent de situer dans l'espace. On fera la différence entre celles qui indiquent le lieu où l'on est (statiques), et celles qui précisent un mouvement (dynamiques).

LES PRÉPOSITIONS STATIQUES

- **above** | *au-dessus de*
- **among** | *parmi*
- **around** | *autour de*
- **at** | *à, dans*
- **behind** | *derrière*
- **below** | *au-dessous de*
- **beside** | *à côté de*
- **between** | *entre*
- **by** | *près de*
- **in** | *dans*
- **in front of** | *devant*
- **inside** | *à l'intérieur de*
- **near / close to** | *près de*
- **next to** | *à côté de*
- **on** | *sur, dans (un bus, un train…)*
- **opposite** | *en face de*
- **outside** | *à l'extérieur de*
- **over** | *au-dessus de*
- **under** | *sous*

LES PRÉPOSITIONS DYNAMIQUES

- **across** | *à travers*
- **along** | *le long de*
- **down** | *en bas de / vers le bas*
- **from** | *(en provenance) de*
- **into** | *dans*
- **on (to)** | *sur*
- **out of** | *de*
- **over** | *par-dessus*
- **through** | *à travers*
- **to** | *à, en*
- **towards** | *vers*
- **up** | *en haut de / vers le haut de*

Comment traduire ?

En anglais la préposition indique le mouvement et le verbe le moyen. Tout le contraire du français.

She ran down the stairs.

Elle descendit les escaliers en courant.

 Complétez avec une préposition.

a. Kate lives ... New York.

b. It's very far ... here.

c. We'll fly ... Sydney for the holidays.

d. He was walking ... the street. (*plusieurs possibilités*)

e. He swam ... the river.

f. The plane flies ... Los Angeles ... Washington.

🗣️ 24. DEMANDER SON CHEMIN

LOCALISER LES ENDROITS

■ *Excusez-moi, Je suis perdu. Je cherche la poste.*
 Excuse me, I'm lost. I'm looking for the post office.

■ *Y a-t-il un café près d'ici ?*
 Is there a coffee shop nearby?

■ *La boulangerie est au coin de la rue.*
 The baker's is around the corner.

■ *La poste est là-bas, tout droit.*
 The post office is straight ahead.

■ *Excusez-moi, à quelle distance est la gare ?*
 Excuse me, how far is it to the station?

■ *Savez-vous où se trouve la banque la plus proche ?*
 Do you know where the nearest bank is?

■ *Pourriez-vous me montrer où je suis sur le plan, s'il vous plaît ?*
 Would you mind showing me where I am on the map, please?

Soyons polis !

Quand vous demandez votre chemin, commencez toujours par **Excuse me** et terminez par **Please**.
Et quand on vous a répondu, dites **Thank you** !

DEMANDER COMMENT Y ALLER

- *Comment faire pour aller à la poste, s'il vous plaît ?*
  How do I get to the post office, please?
- *Passez devant l'église et vous la verrez à votre droite.*
  Go past the church and you'll see it on your right.
- *Combien de temps faut-il pour aller à la gare ?*
  How long does it take to get to the station?
- *Suivez les panneaux de signalisation.*
  Follow the signs.
- *Pouvez-vous me montrer comment aller à l'arrêt d'autobus ?*
  Can you please show me how to get to the bus stop?
- *Vous allez dans la mauvaise direction. Il faut retourner d'où vous venez.*
  You are walking in the wrong direction. You must go back where you came from.
- *Vous vous êtes trompé de tournant.*
  You've taken the wrong turning.
- *Allez jusqu'aux prochains feux et tournez à droite.*
  Go as far as the next traffic lights and turn right.

 Complétez avec les verbes donnés.

> *be – show – look – go*
>
> a. I'm ... for the football ground.
> b. Can you ... me the way?
> c. I am ... there too. Come with me.
> d. How far ... it?

🔍 25. DIRE CE QUE L'ON AIME

J'AIME... BEAUCOUP

- *J'adore lire des romans policiers.*
  I love reading detective novels.
- *J'aime beaucoup sortir avec des amis.*
  I enjoy going out with friends.
- *Tu as envie d'aller au restaurant ?*
  Do you feel like going to the restaurant?
- *Ce serait vraiment super !*
  That would be fantastic!
- *Elle est tellement contente de sa nouvelle voiture !*
  She's so pleased with her new car!
- *Je suis impatient de lire ce livre.*
  I am eager to read that book.
- *Ça a l'air superbe !*
  It looks great!
- *Ça a l'air d'être une belle opportunité.*
  That sounds like a great opportunity!

Quelle construction ?
Les verbes et expressions pour dire que l'on aime quelque chose peuvent être suivis soit d'un nom, soit d'un verbe auquel on ajoute la terminaison **-ing**.
I loved that movie.
J'ai aimé ce film.
I love watching movies.
J'aime regarder des films.

J'AIME... PAS VRAIMENT

- *Cela ne me dérange pas de faire le ménage.*
  I don't mind doing the housework.
- *Ça m'est égal.*
  It's all the same to me.
- *Je m'en fiche.*
  I don't care.
- *Comme tu veux. Ça ne me dérange pas.*
  As you like. I don't mind.

J'AIME... PAS DU TOUT

- *Je ne supporte pas ce genre de musique.*
  I can't stand that kind of music.
- *J'ai horreur de repasser.*
  I hate/loathe ironing.
- *J'en ai marre de cette situation.*
  I am fed up with that situation.
- *Je suis désolé mais je n'en peux plus.*
  I'm sorry but I can't take it anymore.

Écrivez quatre phrases pour dire ce que vous aimez, ce que vous n'aimez pas ; ce que vous aimez faire et ce que vous n'aimez pas faire.

🗣 26. PARLER DE SES LOISIRS

LES ACTIVITÉS

- *Quelle est votre activité de loisir favorite ?*
  What is your favourite leisure activity?
- *Qu'est-ce que vous aimez faire quand vous avez du temps libre ?*
  What do you enjoy doing in your spare time?
- *Y a-t-il des choses qui vous passionnent ?*
  Are there any hobbies you do?
- *J'aime bien dessiner et peindre.*
  I enjoy drawing and painting
- *Elle passe beaucoup de temps à des jeux vidéo.*
  She spends a lot of time on video games.

PRÉPARER UNE SORTIE

- *Vous êtes pris vendredi soir ?*
  Are you busy on Friday evening?
- *Vous voulez venir avec nous au spectacle ?*
  Would you like to join us to the show?
- *Et si on allait au resto après le spectacle ?*
  Why don't we go to a restaurant after the show?
- *Ça vous dirait qu'on aille dîner ensemble ?*
  Would you like us to have dinner together?
- *Qu'est-ce que vous faites ce week-end ?*
  What are you doing this weekend?
- *Cela vous plairait de venir randonner avec nous ?*
  Would you like to come hiking with us?

PARLER DE SPORTS

- *Quel sport pratiquez-vous ?*
  What sport do you do?
- *Vous êtes bon en tennis ?*
  Are you good at tennis?
- *Aimez-vous jouer au football ?*
  Do you like playing football?
- *Avez-vous déjà fait du ski ?*
  Have you ever been skiing?
- *Avez-vous déjà essayé le surf des neiges ?*
  Have you ever tried snowboarding?
- *Combien de fois allez-vous à la piscine ?*
  How often do you go swimming?
- *Quels sports aimez-vous regarder à la télé ?*
  What sports do you like watching on TV?

> **Question de foot**
>
> En Grande-Bretagne, on parle de **football** mais aux États-Unis on l'appelle **soccer**.

 Vous rencontrez un vieil ami et vous parlez de vos loisirs. Rédigez la conversation.

👤 27. EN VACANCES

LES EXPRESSIONS À CONNAÎTRE

■ *Bon voyage !*
  Have a good trip!
■ *J'attends avec impatience de partir en vacances.*
  I'm looking forward to going on holiday.
■ *J'ai pris une semaine de vacances pour Noël.*
  I took a week off for Christmas.
■ *Cherchons les meilleures offres.*
  Let's check the best deals.
■ *Veux-tu venir visiter le coin avec nous ?*
  Would you like to come sightseeing with us?
■ *Essayez notre formule avion + hôtel.*
  Try our flight + hotel package.
■ *Nous proposons des logements avec cuisine.*
  We offer self-catering accommodation.

Plusieurs mots pour le voyage

travel | le mot le plus général
trip | court voyage pour le plaisir ou les affaires
journey | la distance parcourue
tour | un voyage organisé
voyage | un long voyage en mer ou dans l'espace

LES MOTS DES VACANCES

■ *aller à l'étranger* | **go abroad**
■ *auberge* | **inn**

- *auberge de jeunesse* | **youth hostel**
- *chambre d'hôtes* | **B & B**
- *équipement* | **facilities**
- *excursion* | **outing**
- *faire du stop* | **hitchhike**
- *loger quelqu'un* | **put someone up**
- *outre-mer* | **overseas**
- *pont (week-end prolongé)* | **bank holiday weekend**
- *prendre un bain de soleil* | **sunbathe**
- *prendre un coup de soleil* | **get sunburnt**
- *randonnée (faire de la)* | **hiking**
- *réserver* | **book**
- *sac à dos* | **backpack/rucksack**
- *station balnéaire* | **seaside resort**
- *traversée* | **crossing**
- *voyager* | **travel**
- *voyage de retour* | **journey back**

Vous revenez d'un séjour à la mer. Racontez vos vacances.

📖 28. LE NOM : GENRE ET NOMBRE

LE GENRE

Il y a trois genres en anglais : le neutre – genre le plus répandu – le masculin pour les humains mâles et le féminin.

COMPTABLE OU NON COMPTABLE ?

Les noms comptables désignent des éléments qui peuvent être comptés. Ils peuvent être précédés de l'article **a/an** au singulier, et être mis au pluriel.

■ **A cat – cats**
 Un chat – des chats

Les noms non comptables désignent ce qu'on ne peut pas compter. Ils ne sont jamais précédés de **a/an** et sont toujours au singulier.

■ **Water – music – beauty**
 L'eau – la musique – la beauté

LE PLURIEL

Les pluriels réguliers : on ajoute **-s**.

■ **Two books – three boys – ten houses**
 Deux livres – trois garçons – dix maisons.

LE CASSE-TÊTE DES TERMINAISONS

Terminaison -*ch*, -*s*, -*sh*, -*x* ou –*z* ➜ -*es*

■ **A beach ➜ beaches – a box ➜ boxes**

Une plage ➜ *des plages – une boîte* ➜ *des boîtes*

Terminaison -o ➜ -oes

■ **A tomato ➜ tomatoes**

Une tomate – des tomates

Terminaison consonne + -y ➜ ies

■ **A story ➜ stories**

Une histoire ➜ *des histoires*

Terminaison -f ou -fe ➜ -ves

■ **A knife ➜ knives**

Un couteau ➜ *des couteaux*

:::
Quelques pluriels irréguliers

child ➜ children | *enfant(s)*
foot ➜ feet | *pied(s)*
man ➜ men | *home(s)*
mouse ➜ mice | *souris*
tooth ➜ teeth | *dent(s)*
:::

 Classez ces noms en deux catégories :
comptables ou comptables ?
art – love – chair – bottle – advice – information
– bag – coin – animal – rice – sugar – plate –
water – electricity – power – cup – man – dog
– dollar – money

 Mettez ces noms au pluriel.
a boat – a match – a potato – a baby – a mouse –
a tax – a woman – a postman – a branch – a lady

📖 29. L'ARTICLE INDÉFINI

L'ARTICLE A/AN

L'article **a/an** (un, une, du) n'existe qu'au singulier, devant un nom que l'on peut dénombrer.

■ **There is a book on the table.**
Il y a un livre sur la table.

On met **a** devant une consonne.
■ **A man, a table, a city**
Un homme, une table, une ville

On met **an** devant une voyelle.
■ **An exercise, an island, an animal**
Un exercice, une île, un animal

....

Pour donner le métier de quelqu'un

On met **a/an** devant le nom du métier.
She is a nurse.
Elle est infirmière.

....

L'ABSENCE D'ARTICLE

On ne met pas d'article devant les noms suivants.

LES NOMS INDÉFINIS AU PLURIEL (c'est l'équivalent de **a/an** au singulier)

■ **I like video games.**
J'aime les jeux vidéo.

LES NOMS ABSTRAITS
- **Science-fiction is very popular.**
  La science-fiction est très populaire.

LES MATIÈRES OU LES COULEURS
- **Gold is very expensive.**
  L'or est très cher.

LES REPAS, LES ALIMENTS, LES BOISSONS
- **I have tea for breakfast.**
  Je prends du thé au petit déjeuner.

LES NOMS DE LANGUES
- **I like English.**
  J'aime l'anglais.

LES NOMS D'ACTIVITÉS
- **He plays football.**
  Il joue au football.

LES RUES, PAYS, MONTAGNES, AU SINGULIER
- **France has a temperate climate.**
  La France a un climat tempéré.

LES NOMS DE PERSONNES (MÊME AVEC UN TITRE)
- **Doctor Gordon – Prince William**
  Le docteur Gordon – le prince William

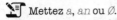 Mettez *a*, *an* ou Ø.

   a. Jane is … teacher.
   b. She is … extremely nice person.
   c. She likes … children.
   d. She lives in … Kensington Street.

📖 30. L'ARTICLE DÉFINI

L'ARTICLE THE (LE, LA, LES)

The est invariable. Il est le même pour le féminin, le masculin ou le neutre, pour le singulier ou le pluriel.

- **The boy, the girl, the children.**

  Le garçon, la fille, les enfants.

QUAND FAUT-IL METTRE THE ?

The indique que l'interlocuteur sait de qui ou de quoi on parle. On l'utilise devant les noms suivants :

LES NOMS DÉFINIS PAR UN COMPLÉMENT (**of/in** + nom) ou une relative

- **The roof of my house.**

  Le toit de ma maison.

- **The colour (that) I prefer.**

  La couleur que je préfère.

LES NOMS DÉFINIS PAR LA SITUATION

- **Shut the window, please.**

  Fermez la fenêtre, s'il vous plaît.

(On parle de la fenêtre de la pièce dans laquelle on se trouve.)

CE QUE TOUT LE MONDE CONNAÎT

- **The sun, the moon, the earth, etc.**

  Le soleil, la lune, la terre, etc.

Les noms de famille au pluriel

- **The Turners**
  Les Turner / la famille Turner

Les noms de montagnes au pluriel, les noms de mers ou de fleuves

- **The Himalayas – the Alps**
  L'Himalya - les Alpes
- **The Pacific Ocean**
  L'océan Pacifique

Les noms de pays au pluriel

- **The United States of America**
  Les États-Unis d'Amérique
- **The United Kingdom**
  Le Royaume-Uni

> **Attention à certaines expressions !**
>
> Ne vous laissez pas influencer par le français.
> *Aller à l'école* | **Go to school**
> *Être à la maison* | **Be at home**
> *Rester au lit* | **Stay in bed**
> *Aller au travail* | **Go to work**

 Complétez avec *the*, *a* ou Ø.

    a. ... Smiths live in ... Reims.

    b. They have ... nice house in front of ...
    cathedral.

    c. They have ... nice car.

    d. I don't know what ... brand of their car is.

🎧 31. LES VÊTEMENTS

S'HABILLER

■ *Va t'habiller.*
   Go and get dressed.
■ *Ça vous va bien.*
   This really fits you.
■ *C'est assorti à la couleur de vos chaussures.*
   It matches the colour of your shoes.
■ *Vous êtes très belle avec cette robe.*
   You look great in that dress.
■ *Le bleu vous va si bien !* | **Blue is your colour!**
■ *Tu devrais l'essayer* | **You should try it on.**
■ *Quelle taille faites-vous ?* | **What is your dress size?**
■ *Je fais du 38.* | **My dress size is 10.**

Ne pas confondre

Wearing a coat, qui signifie porter un vêtement sur soi, et **holding a coat**, qui signifie porter un manteau sous le bras.

LES VÊTEMENTS

■ *manteau* | **coat**
■ *robe* | **dress**
■ *blouson* | **jacket**
■ *jeans* | **jeans**
■ *imperméable* | **macintosh/raincoat**
■ *pull-over* | **sweater/jumper**
■ *chemise* | **shirt**

- *jupe* | **skirt**
- *costume* | **suit**
- *pantalon* | **trousers (UK) / pants (US)**

LES SOUS-VÊTEMENTS
- *boxer, caleçon* | **boxer shorts**
- *soutien-gorge* | **bra**
- *robe de chambre* | **dressing gown**
- *culotte/slip de femme* | **knickers/panties**
- *chemise de nuit* | **nightdress, nightie**
- *pyjama* | **pyjamas**
- *combinaison* | **slip**
- *chaussette* | **sock**
- *bas* | **stocking**
- *string* | **thongs**
- *collant* | **tights**
- *slip (homme)* | **underpants**
- *sous-vêtements* | **underwear**

Singulier ou pluriel ?

Les vêtements composés de deux parties (les deux jambes d'un pantalon, d'un collant, etc.) sont toujours utilisés au pluriel.

Dans un catalogue, choisissez cinq mannequins. Décrivez leur tenue le plus précisément possible.

32. LA POSSESSION

LES ADJECTIFS POSSESSIFS

(mon, ma, mes, ton, leur, etc.)

	Singulier	Pluriel
1ᵉ personne	**my**	**our**
2ᵉ personne	**your**	**your**
3ᵉ personne	**his / her / its**	**their**

Les adjectifs possessifs sont invariables (genre et nombre).

■ **Their house is very large.**

Leur maison est très grande.

> **Son, sa, ses**
>
> En anglais, on accorde l'adjectif possessif avec le possesseur :
> on choisit **his** si on parle d'un homme, **her** si on parle d'une
> femme et **its** si on parle d'un animal ou d'un objet.
> **He is driving his car. / She is driving her car.**
> *Il conduit sa voiture. / Elle conduit sa voiture.*

LES PRONOMS POSSESSIFS

(le mien, les tiennes, la leur, etc.)

Ils évitent la répétition d'un nom déjà cité.

	Singulier	Pluriel
1ʳᵉ personne	**mine**	**ours**
2ᵉ personne	**yours**	**yours**
3ᵉ personne	**his / hers / its**	**theirs**

■ **My name is Michèle. What is yours?** | *Mon nom est Michèle. Quel est le vôtre ?*

LE GÉNITIF (OU CAS POSSESSIF)

Il indique la possession ou la parenté.

Possesseur au singulier + **'s** + objet possédé

■ **My brother's name is John.** | *Le nom de mon frère est John.*

Possesseur au pluriel + **'** + objet possédé

■ **I don't know my parents' friends.** | *Je ne connais pas les amis de mes parents.*

> **Attention**
>
> Pas de déterminant devant l'objet possédé ! Pas question de dire **My father's the car** pour traduire « la voiture de mon père ».

 Traduisez en anglais.

    a. Il est venu avec sa meilleure amie.

    b. Mary a apporté son ordinateur.

    c. Les chaussures de ma sœur sont noires.

    d. Les vêtements des garçons sont dans la valise.

📖 33. DÉCRIRE AVEC DES ADJECTIFS

ACCORD ET PLACE

Les adjectifs sont invariables. Pas de masculin, pas de féminin ni de neutre, pas de pluriel !

Les adjectifs épithètes se placent toujours avant le nom qu'ils qualifient.

■ *Il porte une chemise bleue et une cravate rouge.*

   He is wearing a blue shirt and a red tie.

Les compléments des adjectifs

....

Attention à la préposition qui introduit le complément.

pleased / disappointed / satisfied with something
content / déçu / satisfait de quelque chose

good / bad / excellent at something
bon / mauvais / excellent en quelque chose

LES PARTICIPES EMPLOYÉS COMME ADJECTIFS

Il faut bien distinguer V + **-ed**, qui a un sens passif, et V + **ing**, qui a un sens actif.

■ *Il était fatigué. C'était fatigant.*

   He was tired. It was tiring.

78

LES ADJECTIFS DE NATION.

Les adjectifs de nationalité prenne
Les adjectifs en -**sh** ou -**ch** comme
English (anglais) sont semblables au

■ **The English** : *les Anglais* (= tous les
■ **Some English people** : *des Anglais*
■ **An Englishman** : *un Anglais*
■ **An Englishwoman** : *une Anglaise*

Les adjectifs en -**an** sont également semblables

■ **American, an American** : *Américain, un Ame*

Les adjectifs désignant une langue ne prennent pa
d'article mais ont une majuscule.

LE C
Les a
term
On
qu
e

> **Ne pas confondre la langue et les gens qui la parlent**
>
> **I like English.**
> *J'aime l'anglais.*
> **I like the English.**
> *J'aime les Anglais.*

 Traduisez ces phrases

   a. Mon père a une grosse voiture rouge.
   b. J'étais fasciné par le spectacle.
   c. Le spectacle était fascinant.
   d. Je connais un Anglais très riche.

🗣 34. COMPARER

COMPARATIF DE SUPÉRIORITÉ (PLUS... QUE)

Les adjectifs courts (d'une ou deux syllabes, se terminant par -y, -ow, -le ou -er)

forme le comparatif en ajoutant la terminaison **-er**.

quick (*rapide*) → **quicker** (*plus rapide*)
easy (*facile*) → **easier** (*plus facile*)

Le problème des terminaisons

Terminaison -y → -ier
Terminaison voyelle + consonne → voyelle + consonne doublée + -er
dry (*sec*) → **drier** (*plus sec*)
big (*gros*) → **bigger** (*plus gros*)

Les adjectifs longs (de deux syllabes, se terminant par -ful, -re, -ing, -ed ou -less, ou de plus de deux syllabes)

On ajoute **more** devant l'adjectif.

painful (*pénible*) → **more painful** (*plus pénible*)
comfortable (*confortable*) → **more comfortable** (*plus confortable*)

Un mot pour introduire le complément : than

It's easier and more comfortable than I thought.
C'est plus facile et plus confortable que je ne le pensais.

LE SUPERLATIF DE SUPÉRIORITÉ (LE PLUS...)

the + adjectif court + **-est**

the most + adjectif long

Pour introduire le complément : **of**, ou **in**.

> **Le problème des terminaisons**
>
> Comme au comparatif :
> **thin** (*mince*) → **the thinnest** (*le plus mince*)

QUELQUES FORMES IRRÉGULIÈRES

good (*bon*) → **better** (*meilleur*) ; **the best** (*le meilleur*)

bad (*mauvais*) → **worse** (*pire*) ; **the worst** (*le pire*)

■ **This is the best restaurant in the city.**

C'est le meilleur restaurant de la ville.

 Comparez.

a. A train / a plane (*fast*)

b. A Mercedes / a Toyota (*expensive*)

c. The Rolls Royce (*in the world*)

d. My brother / my friend (*good at maths*)

🔖 35. ÉCRIRE UNE LETTRE

POUR COMMENCER

Si vous ne connaissez pas le nom de la personne à qui vous écrivez :

Dear Sir, Dear Madam,

Si vous connaissez son nom :

Dear Mr, Mrs, Miss Smith,

Si vous la connaissez personnellement :

Dear Frank,

> De plus en plus, on évite le choix entre **Miss** et **Mrs** en employant **Dear Ms Smith**.

DANS LE CORPS DE LA LETTRE

- **Thank you for your letter of June 16th.**
  Merci pour votre lettre du 16 juin dernier.
- **With reference to your inquiry of 3rd January,**
  Suite à votre demande du 3 janvier,
- **Could you possibly...?**
  Vous serait-il possible de...
- **I would be grateful if you could...**
  Je vous serais reconnaissant de bien vouloir...
- **Please find enclosed...**
  Vous trouverez ci-joint...

POUR FINIR UNE LETTRE

- *J'ai hâte d'avoir de vos nouvelles / de vous voir.*
  Looking forward to hearing from you / seeing you.

Si vous ne connaissez pas bien la personne :
- *Cordialement,* | **Yours faithfully, / Yours sincerely,**

Si vous connaissez personnellement la personne :
- *Bien à vous,* | **Best wishes, / Best regards,**

QUELQUES MOTS UTILES

- *boîte aux lettres* | **letter box, mail box**
- *bureau de poste* | **post office**
- *carte postale* | **postcard**
- *écriture* | **handwriting**
- *épeler* | **spell**
- *facteur* | **postman/mailman**
- *faire suivre* | **forward**
- *lettre* | **letter**
- *manuscrit* | **manuscript**
- *par avion* | **airmail**
- *par retour du courrier* | **by return of post**
- *poster* | **post**
- *prospectus* | **junk mail**
- *répondre* | **reply**
- *timbre* | **stamp**

Rédigez un courrier pour renvoyer une fiche de renseignements vous concernant.

🔖 36. ÉCRIRE UNE CARTE POSTALE

POUR COMMENCER

■ *Salut ! Salut les copains !*
  Hi/hello Mark! Hi guys!
■ *Chers Mathilde et Thibault*
  Dear Mathilde and Thibault

DANS LE CORPS DE LA CARTE

■ *Je m'amuse beaucoup.*
  I'm having a great time.
■ *Je passe un bon moment.*
  I'm really enjoying myself.
■ *Il fait très beau / du soleil / il gèle.*
  The weather is great / sunny / freezing.
■ *C'est merveilleux.*
  It is wonderful.
■ *Il y a tellement de choses à voir.*
  There are so many sights to see.
■ *J'ai passé toute la journée à la plage.*
  I have been spending all day on the beach.
■ *Ce qu'il y a de mieux, c'est ce qu'on mange.*
  The best thing is the food.
■ *Le pire, c'est qu'il y a du monde.*
  The worst thing is the crowd.
■ *Nous allons rester dix jours.*
  We are going to stay for ten days.

POUR FINIR

- *À bientôt. Salut !*
  See you soon. Take care!
- *Je pense à toi.*
  Thinking of you.
- *Bisous.*
  Love you.
- *Vous me manquez tous.*
  I miss you all.
- *Je regrette que tu ne sois pas ici.*
  I wish you were here.

 Ajoutez les mots qui manquent.

We arrived in Mexico City two days ago. We're
going ... ... two weeks here before going to
Texas. ... ... you a lot. But I am really having ...
... time. The weather is ..... The ... ... is the food. It
is delicious. The ... ... is the traffic. It is so noisy
and polluted.

... ... soon and take ...   Fred

📖 37. LES QUANTIFIEURS INDÉFINIS

Some, **any** et **no** indiquent une quantité indéfinie.
D'autres quantifieurs indéfinis sont un peu plus précis
(voir p. 00).

SOME
Some peut être traduit par « du », « des », « de la ». Il est
utilisé dans des phrases affirmatives.
- **I'm too thirsty, I'll have some water first.**
  J'ai trop soif, je vais d'abord prendre un peu d'eau.

Some peut être utilisé dans une phrase interrogative si
on est sûr que la réponse à la question sera oui – ou si
on veut que l'interlocuteur réponde oui.
- **Would you like some tea?**
  Voulez-vous du thé ?
- **Could you lend me some money?**
  Peux-tu me prêter de l'argent ?

ANY
Any s'utilise dans les phrases négatives.
- **He doesn't have any friend.**
  Il n'a pas d'ami.

Il s'utilise aussi dans les phrases interrogatives, quand on
ne sait pas si l'élément auquel il renvoie a une existence
réelle ou pas.
- **Do you have any family around?**
  Vous avez de la famille dans le coin ?

NO

No équivaut à **not any**. Il s'utilise dans les phrases à sens négatif, mais avec un verbe positif.

■ **They have no pets. / They don't have any pets.**
Il n'ont pas d'animaux ici.

> **Et quand on ne parle pas de quantité ?**
>
> Avec un dénombrable au singulier, **some** et **any** ne se réfèrent pas à la quantité mais soulignent le caractère indéfini du nom.
> **We'll meet again some day.**
> *On se rencontrera un jour ou l'autre.*

LES COMPOSÉS DE SOME, ANY, NO

Some, any et no peuvent se composer.

■ **somebody, anybody** | *quelqu'un*
■ **someone, anyone** | *quelqu'un*
■ **nobody / no one** | *personne*
■ **something, anything** | *quelque chose*
■ **nothing** | *rien*
■ **somewhere, anywhere** | *quelque part*
■ **nowhere** | *nulle part*

 Complétez avec *some, any* ou *no*.

    a. There are ... books here.
    b. Sorry, I have ... milk left.
    c. We haven't got ... bananas for the moment.
    d. I haven't seen ...body around.

📖 38. ESTIMER UNE QUANTITÉ

Les mots les plus utilisés pour estimer une quantité sont
some, **any** et **no** (voir p. 00), mais d'autres mots peuvent
donner des indications un peu plus précises.

DÉNOMBRABLE OU INDÉNOMBRABLE ?

Il faut savoir, avant de choisir un quantifieur, si on veut
parler d'un élément que l'on peut compter (dénombrable)
ou qu'on ne peut pas compter (indénombrable).
pen (stylo) dénombrable
water (eau) indénombrable

On choisit ensuite le quantifieur en fonction de la
quantité que l'on estime.
- *pas de / aucun* | **no / not any**
- *peu de* | **little** *(ind.)* / **few** *(dén.)*
- *un peu de* | **a little** *(ind.)* / **a few** *(dén.)*
- *des/quelques* | **some/any**
- *plusieurs* | **several**
- *assez de* | **enough**
- *beaucoup de* | **much** *(ind.)* / **many** *(dén.)* / **a lot of /
  lots of**
- *pas mal de* | **plenty of** *(ind.)* / **a number of** *(dén.)*
- *la plupart* | **most (of the)**
- *tous les* | **all the**

Each et **every** devant un nom dénombrable singulier
signifient « chaque » - mais on les traduit souvent par
« tous les ».

> Certains indénombrables peuvent changer de catégorie selon qu'ils renvoient à la notion ou à un élément distinct.
> **Two sugars in my coffee, I like sugar !**
> *Deux sucres dans mon café, j'aime le sucre !*

MUCH, MANY, A LOT OF?

On utilisera plutôt **a lot of** dans les phrases affirmatives, alors que dans les phrases négatives, on préférera **much** ou **many**.

■ **There isn't much traffic here except at 5:00 when there are a lot of cars.**
Il n'y a pas beaucoup de circulation ici sauf à 5 heures, où il y a beaucoup de voitures.

MODIFIER UN QUANTIFIEUR

On peut modifier les quantifieurs **much, many, few, little** avec les adverbes **very** (*très*) et **too** (*trop*).

■ **I had very little time and too much work to do.**
J'avais très peu de temps et trop de travail à faire.

 Complétez avec *much, many, (a) few, (a) little.*
a. I'll be here only ... minutes, and then I'll leave.
b. Not ... people know this place.
c. It's easy to go there because there are ... trains.
d. If you work far from home, it takes too ... time.

👤❓ 39. FAIRE LES COURSES

CHOISIR LE BON MAGASIN

- **baker's** | *boulangerie*
- **bookshop** | *librairie*
- **butcher's** | *boucherie*
- **caterer** | *traiteur*
- **dairy** | *crémerie*
- **department store** | *grand magasin*
- **dry-cleaner's** | *pressing*
- **fishmonger's** | *poissonnerie*
- **florist's** | *fleuriste*
- **greengrocer's** | *magasin de fruits et légumes*
- **grocer's** | *épicerie*
- **hardware store** | *quincaillerie*
- **jeweler's** | *bijouterie*
- **newsagent's** | *marchand de journaux*
- **newspaper stall** | *kiosque à journaux*
- **shopping centre/mall** | *centre commercial*
- **stationer's** | *papeterie*
- **sweetshop** | *confiserie*
- **tobacconist's** | *bureau de tabac*

Les noms de magasins

Beaucoup de noms de magasins se terminent tous par **'s**, car il s'agit d'un génitif avec omission du mot **shop**. On ne va pas « à la boucherie » mais « chez le boucher ».

LES PHRASES DES COMMERÇANTS

- **Can I help you?**
  Vous désirez ?
- **Is someone waiting on you?**
  Quelqu'un s'occupe de vous ?
- **Are you looking for anything in particular?**
  Vous cherchez quelque chose de particulier ?
- **No, I'm just browsing. Thanks anyway.**
  Je regarde seulement, mais merci à vous.
- **If you need me, just let me know, I'll be right here.**
  Si vous avez besoin d'aide, n'hésitez pas.
- **Did you find everything okay?**
  Vous avez trouvé tout ce qu'il vous fallait ?
- **Will that be all for today?**
  Ce sera tout pour aujourd'hui ?
- **Anything else?**
  Il vous fallait autre chose ?

Ne pas confondre :

Le **department store** propose de nombreux produits regroupés dans des rayons différents. Le **supermarket** propose également des produits d'alimentation. Le **shopping centre** (ou **shopping mall**) est un regroupement de magasins.

Vous arrivez dans un magasin pour acheter un pantalon. Vous êtes accueilli par le vendeur. Écrivez la conversation.

🧍 40. AU SUPERMARCHÉ

LES EXPRESSIONS À CONNAÎTRE

■ *Voulez-vous que nous emballions vos produits ?*
Would you like us to pack for you?

■ *Oui, allez-y.*
Yes, go ahead.

■ *C'est à moi.*
It's my turn.

■ *Désolée de vous faire attendre, madame.*
Sorry to keep you waiting, Madam.

■ *Excusez-moi, vous êtes passé devant moi.*
Excuse me, you have jumped the queue.

■ *Ne vous inquiétez pas.*
Don't worry about it.

■ *Pourriez-vous me garder ma place, s'il vous plaît ?*
Please keep my place in the queue.

■ *Pouvez-vous ouvrir une autre caisse ?*
Please, could you open another check out?

■ *Ça fait une heure et demie que j'attends.*
I've been waiting for half an hour.

■ *Ici, il y a des caisses automatiques pour vous éviter de faire la queue.*
Here, we have self-service cash desks so you don't have to queue.

Les horaires d'ouverture

Dans les grandes villes, il n'est pas rare que des magasins soient ouverts toute la nuit.

We are open 24/7.

Nous sommes ouverts 24 heures sur 24, 7 jours sur 7.

LES MOTS DU SUPERMARCHÉ

- *chariot* | **trolley**
- *caisse* | **check out**
- *caissier* | **check out assistant / cashier**
- *commander* | **order**
- *achats sur Internet* | **online shopping**
- *fâcher (se)* | **lose one's temper**
- *faire la queue* | **queue up / line up**
- *impatienter (s')* | **get impatient**
- *ouverture nocturne* | **late-night shopping**
- *livrer* | **deliver**
- *soldes* | **sales**

Vous revenez des courses et racontez que vous avez fait la queue très longtemps.

📖 41. LES FORMES HAVE + V-EN

QUE VEUT DIRE V-EN ?

Par convention on dit **V-en** pour parler du participe passé d'un verbe, bien que l'on construise généralement celui-ci comme le prétérit, en lui ajoutant la terminaison **-ed**. Pour les verbes irréguliers, il s'agit de la troisième forme de la liste (p. 00).

LE PRESENT PERFECT

Le **present perfect** se compose de **have** au présent (**have/has**) et du verbe au participe passé. L'auxiliaire se met devant le sujet à la forme interrogative, et précède **not** à la forme négative.

- **Have you seen John? No I haven't seen him. He has gone to work.**
  Avez-vous vu John ? Non, je ne l'ai pas vu, il est parti au travail.

On utilise le **present perfect** quand on ne s'intéresse pas au moment où l'action s'est déroulée, mais plutôt à ses conséquences sur le présent.

- **I have lost my keys, I can't get in!**
  J'ai perdu mes clés, je ne peux pas rentrer !

Le **present perfect** permet de faire un bilan.

- **We have lived here for thirty years.**
  Nous vivons ici depuis trente ans.

Si l'action n'est pas terminée, et qu'on s'intéresse plus à l'activité du sujet grammatical qu'au résultat, on choisit le **present perfect be + V -ing.**

■ **It has been raining for 3 weeks!**

Il pleut depuis 3 semaines !

> **For ou since ?** Ces mots se traduisent par « depuis » et sont utilisés avec une forme en **V-en** pour faire un bilan. **For** indique une durée, alors que **since** donne le point de départ de l'action. **We have lived here for 10 years, since 1995.**

LE PAST PERFECT

Le **past perfect** se construit avec **had + V-en.**

live → had lived

Il marque l'antériorité d'une action par rapport au moment passé dont on est en train de parler.

■ **He gave her the watch he had bought in Paris.**

Il lui a offert la montre qu'il avait achetée à Paris.

📝 **Classez ces expressions :** *prétérit* ou *present perfect ?*

yesterday – already – last week – since Monday – at 10.30 – for three years – never – two days ago

📝 **Mettez ces verbes à la forme qui convient :** *prétérit, present perfect* ou *past perfect.*

a. When he (arrive), he (start) crying: he (forget) his English book!

b. Why (you + break) that vase? It (be) my favorite!

📖 42. PARLER DE L'AVENIR

Il n'y a pas en anglais de temps qui correspondrait au futur. On a recours à différentes structures en fonction de ce que l'on veut exprimer : prédiction, intention, programme, imminence d'un événement, etc.

WILL

Will permet de faire une prédiction d'après ce qu'on sait ou d'après ce qu'on décide au moment où on parle.

■ **I will have one more drink; then I will go**.
  J'en reprends un ; et après j'y vais.

Shall, utilisé à la 1re personne, est souvent utilisé pour faire une suggestion, ou bien pour demander un conseil.
Shall I open the window?
Voulez-vous que j'ouvre la fenêtre ?

BE GOING TO + V

Cette structure permet d'énoncer l'intention du sujet grammatical.

■ **She's going to tell her Mum.**
  Elle va le dire à sa mère.

On l'utilise aussi pour faire une prévision liée à la présence d'indices que l'on constate.

■ **Look at these clouds! It's going to rain.**
  Regarde ces nuages ! Il va pleuvoir.

BE (PRÉSENT) + V-ING

Utilisé avec un marqueur de temps futur, il permet d'annoncer un projet pour lequel le sujet a pris ses dispositions.

■ **They have made a reservation, they're leaving at 3.**
Ils ont pris une réservation, ils partent à 3 heures.

PRÉSENT SIMPLE

On peut utiliser le présent simple avec un marqueur de temps pour exprimer un futur indépendant de la volonté de l'énonciateur, notamment dans le cadre d'horaires ou de programmes.

■ **Our train leaves at 10.**
Notre train part à 10 heures.

Une subordonnée introduite par **when** ou **as soon as** ne prend pas de marque du futur. Elle est au présent, la principale faisant référence à l'avenir avec **will**. L'anglais ne fonctionne pas comme le français !

I'll leave as soon as she arrives.
Je partirai dès qu'elle sera là.

 Traduisez ces phrases.

    a. Dans deux jours il sera là !

    b. Je suis fatigué, je vais dormir un peu.

    c. Qu'est-ce qu'on doit faire maintenant ?

    d. Le cours d'anglais commence à 17 h 45.

    e. Je suis certain qu'il viendra.

📖 43. LES DÉMONSTRATIFS

FORME

Les démonstratifs s'accordent en nombre avec le nom qu'ils déterminent ou remplacent.

- **This dog → these dogs** | *Ce chien → ces chiens*
- **That cat → those cats** | *Ce chat → ce chien*

On ne fait pas de différence de genre.

- **This man and this woman**
  Cet homme et cette femme

EMPLOI

En règle générale, **this/these** marque la proximité par rapport à l'énonciateur, **that/those** l'éloignement :

L'ÉLOIGNEMENT DANS L'ESPACE

- **I like this painting, but Jerry prefers that one there.**
  J'aime bien ce tableau, mais Jerry préfère celui-là.

L'ÉLOIGNEMENT DANS LE TEMPS

This renvoyant au futur ou au présent, **that** au passé

- **I'm happy this morning, but I was sad that day.**
  Je suis heureux ce matin, mais ce jour-là j'étais triste.

L'ÉLOIGNEMENT AFFECTIF

- **That boy is awful! What is this nice girl doing with him?**
  Ce garçon est épouvantable, qu'est-ce que cette gentille fille fait avec lui ?

This peut servir à annoncer quelque chose (il s'applique à l'avenir), alors que **that** renvoie au passé.

■ **This is what he told me: "You can go alone!" That was stupid.**

Voici ce qu'il m'a dit : « Tu peux y aller seul ! » C'était idiot.

Pour éviter une répétition, on peut faire suivre **this/that** de **one**, **these/those** de **ones**.

■ **Which do you prefer? This one or that one? |**

Laquelle préfères-tu ? Celle-ci ou celle-là ?

 Complétez avec *this, that, these* ou *those.*

    a. I have just bought ... brand new phone.

    b. It was very cheap; ... is why I bought it.

    c. Look at ... little girl there, she is so sweet!

    d. ... was in the 1960s; things have changed.

    e. I hate ... man!

 Traduisez ces phrases.

    a. Cette soirée était formidable.

    b. Regarde, voilà les plus jolies filles du lycée.

    c. Voici mon nouveau voisin, Jeremy.

    d. Regarde cette affiche, là-bas!

    e. C'est exactement ce que je voulais.

🕿 44. AU TÉLÉPHONE

LES MOTS DU TÉLÉPHONE

- **answering machine** | *répondeur*
- **call** | *appeler*
- **call back** | *rappeler*
- **dial tone** | *tonalité*
- **dial** | *composer*
- **directory enquiries** | *renseignements*
- **give a call** | *passer un coup de fil*
- **hang up** | *raccrocher*
- **hash/pound key** | *touche étoile*
- **mobile phone** | *téléphone portable*
- **phone book** | *annuaire*
- **phone box/booth** | *cabine téléphonique*
- **phone card** | *carte de téléphone*
- **receiver** | *combiné*
- **star key** | *touche dièse*
- **wrong number** | *faux numéro*
- **yellow pages** | *pages jaunes*

DE PARTICULIER À PARTICULIER

- **Hello? This is Ken Jones speaking.**
  Allô ? Ken Jones à l'appareil.
- **Is Jack in?** | *Est-ce que Jack est là ?*
- **Who is calling?** | *Qui est à l'appareil ?*
- **Hold on.** | *Ne quittez pas.*
- **I'll call back in ten minutes.**
  Je rappellerai dans dix minutes.

- **The line is busy.**
  C'est occupé !
- **Please leave a message after the beep.**
  Laissez un message après le bip.

AU TRAVAIL

- **Could I speak to Mr. Jones?**
  Puis je parler à M. Jones ?
- **I'll put you through.**
  Je vous mets en relation.
- **I'm afraid Mr. Jones is not available at the moment.**
  Désolé, M. Jones n'est pas disponible pour le moment.
- **May I take a message?**
  Puis-je prendre un message ?
- **Would you like to leave a message?**
  Voulez-vous laisser un message ?
- **Can I have extension 352?**
  Puis-je avoir le poste 352 ?

> **Utiliser une cabine téléphonique**
>
> Pour téléphoner d'une cabine publique en Grande-Bretagne, il convient d'insérer les pièces dans l'appareil avant de composer le numéro. Une tonalité lente indique que la ligne est occupée.

Vous appelez un ami sur son lieu de travail.
Vous laissez un message au standard.
Rédigez-le.

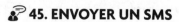 45. ENVOYER UN SMS

LES EXPRESSIONS UTILES

■ *Pour écrire un message, utilisez le clavier.*
To type a message, use the keypad.

■ *Pour envoyer un message, appuyez sur envoyer.*
To send a message press send.

■ *L'écriture intuitive est très rapide.*
Predictive texting is very fast.

■ *Les opérateurs offrent des forfaits SMS.*
Providers offer text message packages.

■ *Les SMS sont discrets.*
Text messages are unobtrusive.

■ *Coupez la sonnerie pour ne déranger personne.*
Switch off the ringtone so you don't disturb anyone.

■ *Les SMS sont pratiques pour organiser des choses à la dernière minute.*
Text messages are convenient to make last-minute arrangements.

■ *Vous pouvez faire suivre des messages à ses amis.*
You can forward phone messages to friends.

■ *Achetez des crédits pour ne pas être en panne.*
Top-up your phone so you don't run out of credit.

Une chose à ne jamais faire !

Ne faites jamais de SMS en conduisant.
Never text while you are driving.

QUELQUES ABRÉVIATIONS À DÉCHIFFRER !

- **asap** | *as soon as possible*
- **gr8t** | *great*
- **c u 18tr** | *see you later*
- **cuz** | *because*
- **cw2cu** | *can't wait to see you*
- **b4** | *before*
- **d8** | *date*
- **ic** | *I see*
- **l8** | *late*
- **rgds** | *regards*
- **tlkl8r** | *talk later*
- **w4m** | *wait for me*
- **zzzzz** | *sleeping*
- **j4f** | *Just for you*
- **XOXOXO** | *Hugs & Kisses*

 Faites correspondre les abréviations avec les expressions.

a. 2NTE - LOL - B4 - F2F - G2CU - MSG - IM - PLZ

b. Face to face - Good to see you - Instant message - Message - Please - Laugh out loud - Before - Tonight

📖 46. DONNER SON AVIS AVEC LES MODAUX

FORME

Il existe plusieurs auxiliaires modaux différents qu'on utilisera pour évaluer le degré de certitude d'un évènement : **must – can – could – may – might – should – will – would**.

Les modaux sont suivis directement de la base verbale.
- **Your house is so big, you must be very rich.**
  Ta maison est si grande, tu dois être très riche.

Ils sont invariables : ils n'ont pas de forme infinitive, pas de temps composé, pas de **-s** à la 3e personne.
- **It must be late: it's very dark.**
  Il doit être tard : il fait très sombre.

> Pour exprimer son degré de certitude sur un évènement passé, on fait suivre le modal de **have** + participe passé.
> **They must have been so sad!**
> *Ils ont dû être tellement tristes !*

Comme ils sont auxiliaires, ils n'ont pas besoin de **do**, **does** ou **did** aux formes interrogative et négative.
- **It's 11, could Tim be at home? No, he can't.**
  Il est 11 heures. Se pourrait-il que Tim soit chez lui ? Non, c'est impossible.

LES DEGRÉS DE CERTITUDE

On choisit le modal en fonction du degré de certitude.

**must – will – should – may – could/might
– mustn't/can't.**

- **She must be so disappointed.**
  Elle doit être tellement déçue.

- **She may be disappointed.**
  Elle est peut-être déçue.

> En français, la modalité s'exprime souvent par des formes
> impersonnelles : « il se peut que », « il se pourrait que », « il est
> impossible que », etc.

 Traduisez en utilisant un modal.

    a. Il se pourrait que les Williams viennent l'été prochain.

    b. Il n'est pas possible que tu aies déjà 20 ans !

    c. John pourrait bien avoir ce livre.

    d. Il aurait pu vous voir !

 Traduisez en français.

    a. She must be fed up with her friends.

    b. It must be unpleasant to be criticized all the time.

    c. They might be angry if they knew you are here.

    d. It must be difficult to raise a child.

📖 47. PORTER UN JUGEMENT AVEC LES MODAUX

CAN POUR EXPRIMER LA CAPACITÉ

Avec **can**, l'énonciateur donne son avis sur la capacité (ou l'incapacité, avec **can't**) du sujet grammatical à faire quelque chose.

- **I can swim but my daughter can't.**
  Je sais nager, mais pas ma fille.

could/couldn't, la forme passée de **can**, a également une valeur d'irréel.

- **I'm sure you could come if you wanted to.**
  Je suis sûr que tu pourrais venir si tu le voulais.

CAN OU MAY POUR LA PERMISSION

L'énonciateur autorise le sujet grammatical à faire quelque chose.

- **You can / may go now.**
  Tu peux partir maintenant.

MUST POUR L'OBLIGATION

En utilisant **must**, l'énonciateur fait pression sur le sujet pour l'obliger à faire quelque chose.

- **She must do something for you.**
  Il faut qu'elle fasse quelque chose pour toi.

INTERDIRE AVEC MUST NOT / MUSTN'T
■ **You mustn't smoke in my house.**
Tu n'as pas le droit de fumer dans ma maison.

CONSEILLER AVEC SHOULD/SHOULDN'T
■ **You shouldn't go there, it's dangerous.**
Tu ne devrais pas aller là-bas, c'est dangereux.

LEVER UNE OBLIGATION AVEC NEEDN'T
■ **You needn't come if you don't want to.**
Tu n'as pas besoin de venir si tu n'en as pas envie.

> Les modaux ne pouvant pas se conjuguer, on utilise des
> substituts pour les temps qui leur manquent.
> La capacité : **be able to**
> La permission ou l'interdiction : **be allowed to**
> L'obligation : **have to**

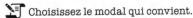 Choisissez le modal qui convient.
a. It's very cold. You ... wear a pullover. (*must – can – can't – may*)
b. I'll run. I'm sure I ... get home in 10 minutes. (*must – can – can't – may*)
c. Remember! You ... forget to call me as soon as you arrive. (*might – should – mustn't – can*)

Écrivez 5 règles que vous voulez faire respecter chez vous ou sur votre lieu de travail.

🖋 48. ÉCRIRE UN COURRIEL

DANS VOTRE MESSAGERIE

- *Copie à / Copie cachée à*
  Carbon copy (cc) / Blind carbon copy (bcc)
- *Les messages indésirables sont très énervants.*
  Junk mail is very annoying.
- *Videz la corbeille de temps en temps.*
  Delete the trash from time to time.
- *Relisez votre courriel avant de l'envoyer.*
  Proofread your e-mail before sending it.
- *Ne transférez pas les virus et les canulars.*
  Don't forward viruses and hoaxes.

Pour commencer et terminer votre message

Utilisez les mêmes expressions que pour écrire une lettre ou une carte postale.

DANS LE CORPS DE VOTRE MESSAGE

- *Merci d'avoir répondu si vite.*
  Thank you for replying so fast.
- *Auriez-vous la gentillesse de répondre le plus rapidement possible ?*
  Would you be kind enough to reply asap?
- *Pour votre information*
  FYI (For Your Information)

- *Excusez-moi de vous répondre si tard.*
  Please forgive me for replying so late.
- *Tu as oublié la pièce jointe.*
  You forgot the attachment.
- *Ce fichier est trop lourd.*
  This file is too heavy.
- *Restons en contact.*
  Let's keep in touch.

 Répondez à cette invitation.

Hi everyone,
I am having a party on Saturday. I would love
you to come. There will be lots to eat and tons
of music to listen to. Would you mind bringing
the drinks? The party will be starting at 8.
I am enclosing a map of where I live.
Looking forward to hearing from you,
Love,   Jimmy

📖 49. FAIRE FAIRE QUELQUE CHOSE À QUELQU'UN

En anglais, quand on veut dire que l'on a fait faire quelque chose à quelqu'un, on utilisera **make**, **let**, ou **have** avec un verbe selon qu'on s'intéresse plutôt à ce qui a été fait ou à la personne sur laquelle on a fait pression.

HAVE + PERSONNE OU OBJET + PARTICIPE PASSÉ

La personne ou l'objet subit l'action. L'énoncé a un sens passif. On ne prend généralement pas la peine de mentionner l'agent.

- **She had her car washed.**

  Elle a fait laver sa voiture.

MAKE + QUELQU'UN + BASE VERBALE

Le sujet fait faire quelque chose à quelqu'un. Le verbe à l'infinitif a un alors un sens actif.

- **She made John wash her car.**

  Elle a fait laver sa voiture par John.

La personne sur qui l'action est exercée peut être exprimée par un pronom à la forme complément (**me, you, him, her, it, us, you, them**).

She made him wash her car.

Elle lui a fait laver sa voiture.

SUJET + BE MADE TO + BASE VERBALE

La pression peut avoir été faite sur le sujet de la phrase.
On utilise alors une forme passive qui sera traduite en
français par un impersonnel, par exemple : « On a fait
faire/dire… »

■ **John was made to wash the car.**
  On a fait laver la voiture par John.

LET + NOM/PRONOM + BASE VERBALE

On laisse faire quelqu'un ou quelque chose.
■ **They let the children play for one hour.**
  Ils ont laissé les enfants jouer pendant une heure.

Il est possible d'utiliser cette forme à l'impératif.
■ **Please, let me go.**
  Je t'en prie, laisse-moi partir.

> Avec le pronom **us**, **let** peut servir à faire une suggestion.
> **Let's go to the swimming pool!**
> *Allons à la piscine !*

 Traduisez ces phrases.

  a. Il m'a fait acheter cette jupe bleue.
  b. Ils ont fait construire cette maison juste à
  côté.
  c. Ils ont laissé leur fille partir.
  d. Ne le laisse pas entrer !

🧑 50. CHEZ LE MÉDECIN

PRENDRE RENDEZ-VOUS

- **I'd like to make an appointment, please.**
  Je voudrais prendre rendez-vous, s'il vous plaît.
- **I need a doctor.**
  J'ai besoin d'un médecin.

LE DIAGNOSTIC

- **What's wrong with you? / What's the matter?**
  Qu'est-ce qui ne va pas ?
- **I don't feel well.**
  Je ne me sens pas bien.
- **It hurts.**
  Ça fait mal.
- **My nose is stuffed up.**
  J'ai le nez bouché.
- **I have a fever.**
  J'ai de la fièvre.
- **I have a sore throat.**
  J'ai mal à la gorge.
- **I have a backache / a headache / a stomach ache.**
  J'ai mal au dos / à la tête / à l'estomac.
- **My feet hurt.**
  J'ai mal aux pieds.

LES MOTS DU MÉDECIN

- **health insurance** | *assurance-maladie*
- **surgery** | *cabinet médical*
- **pain** | *douleur*
- **side effects** | *effets secondaires*
- **general practitioner / GP** | *médecin généraliste*
- **prescription** | *ordonnance*
- **patient** | *patient/malade*
- **take your temperature** | *prendre la température*
- **waiting room** | *salle d'attente*

> **Deux mots pour « être malade »**
>
> **Ill** s'emploie pour toute espèce de maladie.
> **Sick** fait plutôt référence à des maux d'estomac.

VOUS ÊTES GUÉRI

- **I have completely recovered.**
  Je suis complètement guéri.
- **This cream has healed your wound.**
  Cette pommade a guéri ma blessure.

 Vous avez mal à la tête depuis deux jours.
Vous téléphonez pour prendre rendez-vous
chez le médecin. Dans son cabinet, vous
lui expliquez vos symptômes. Rédigez le
dialogue.

📖 51. SITUER DANS LE TEMPS (1)

QUEL JOUR ? QUELLE HEURE ?

On choisit la préposition selon le mot que l'on introduit.

In devant une année

■ *Il est né en 1957.*

   He was born in 1957.

On devant un jour

■ *Elle est née le 5 mai.*

   She was born on May 5th.

At devant une heure

■ *Le train arrive à 10 h 45.*

   The train arrives at 10:45.

■ *Je rentre à la maison à l'heure du déjeuner.*

   I go home at lunchtime.

In devant une période de la journée

■ *Je vais faire les courses le matin.*

   I go shopping in the morning.

PENDANT

During pour situer un événement à l'intérieur d'un autre : pendant les vacances, pendant la guerre, pendant le voyage, pendant un séjour, etc.

■ *Je voyage beaucoup pendant les vacances.*

   I travel a lot during the holidays.

For, associé à un verbe au passé, devant une indication de durée : des heures, des années, des siècles, etc.

■ **I lived in New York for five years.**

J'ai habité à New York pendant cinq ans.

DE... À...
From... to...

■ *Nous sommes ouverts de 9 heures à 19 heures.*

We are open from 9 to 7.

JUSQU'À
Till / until

■ *Nous sommes ouverts jusqu'à 19 heures.*

We are open until 7 p.m.

Vous rentrez à la maison après une semaine de vacances. Donnez quatre informations sur votre emploi du temps : *On... At... From... to... Until...*

📖 52. LES PRÉPOSITIONS DE TEMPS (2)

IL Y A COMBIEN DE TEMPS ?

Ago

Ago indique à quel moment dans le passé remonte l'évènement dont on parle. Il est toujours associé à un verbe au prétérit.

Une bizarrerie… C'est la seule préposition qui se place après le complément. On calcule le temps qui s'est écoulé depuis le moment où l'événement a eu lieu.

■ *Il est allé à Londres il y a cinq ans.*

   He went to London five years ago.

> **Pour traduire « il y a »**
>
> Attention ! **Ago** ne traduit la tournure française « il y a » que pour le repérage dans le temps. Dans les autres cas, on dit **there is / there are**.
> *Il y a bien longtemps, il y avait des dinosaures.*
> **A very long time ago, there were dinosaurs.**

DEPUIS

For

For associé à un verbe au **present perfect** introduit la durée d'un événement non terminé. Attention, en français le verbe est au présent.

■ *Je travaille dans ce magasin depuis trois ans.*

   I have been working in this store for three years.

Since

Since associé à un verbe au **present perfect** introduit
la date ou le moment où un événement a commencé.
Comme pour **for**, le temps du verbe en français est le
présent.

■ *John travaille dans cette banque depuis 2010.*
John has worked in this bank since 2010.

 Classez les mots suivants en deux catégories :
sont-ils introduits par *for* ou par *since* ?
this morning – yesterday – two hours – three
months – the 19the century – years – two
weeks – 10 o'clock

 Traduisez en utilisant *for*, *since* ou *ago*
a. Ils sont mariés depuis 22 ans.
b. Ils se sont rencontrés en 1983.
c. Il y a cinq ans, ils ont eu un enfant.
d. J'ai cette voiture depuis le mois de mars.

🧑‍💼 53. À LA GARE

LES EXPRESSIONS À CONNAÎTRE

- *À quelle heure le train arrive-t-il en gare ?*
  What time does the train get in?
- *De quel quai le train part-il ?*
  Which platform does the train leave from?
- *On ne composte pas son billet en Angleterre.*
  You don't have to get your ticket punched in England.
- *Le contrôleur contrôlera votre titre de transport à bord.*
  The ticket collector will check your ticket on board.
- *Vos billets, s'il vous plaît.*
  Tickets, please.
- *Attention à la marche en descendant du train !*
  Mind the gap!
- *Nous vous prions de nous excuser pour le retard.*
  We'd like to apologize for the delay.
- *Des boissons et une restauration rapide sont disponibles en voiture-bar.*
  Refreshments are served at the buffet car.

> **Les formules de billet**
>
> *Un aller simple* | **A single**
> *Un aller et retour* | **A return ticket**
> *Un abonnement* | **A season teicket**

LES MOTS DU TRAIN

- *consigne* | **left-luggage lockers**
- *contrôleur* | **ticket collector**
- *correspondance* | **connection**
- *gare* | **(railway) station**
- *guichet* | **ticket office**
- *heures creuses* | **off-peak hours**
- *manquer le train* | **miss the train**
- *prix du billet* | **fare**
- *quai* | **platform**
- *remboursement* | **refund**
- *tarif réduit* | **reduced fare**
- *voie* | **track**
- *voiture-bar* | **buffet car**
- *voyage* | **trip, journey**
- *voyageur* | **passenger**
- *wagon* | **carriage**

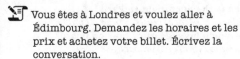 Vous êtes à Londres et voulez aller à Édimbourg. Demandez les horaires et les prix et achetez votre billet. Écrivez la conversation.

☏ 54. À L'AÉROPORT

LES EXPRESSIONS DE L'AÉROPORT

- *Avez-vous quelque chose à déclarer ?*
  Do you have anything to declare?
- *Ne laissez pas vos affaires sans surveillance.*
  Please do not leave your luggage unattended.
- *Embarquement immédiat pour le vol BA 708 à destination de Sydney.*
  Flight BA 708 to Sydney is now boarding.
- *Le vol BA 609 est annulé.*
  Flight BA 609 has been cancelled.
- *Dernier appel pour le vol BA 476 à destination de...*
  This is the final call for flight BA476 to...
- *Rendez-vous à la porte 78.*
  Please make your way to gate78.
- *Quand est le prochain vol pour Paris ?*
  When is the next flight to Paris?
- *Combien de bagages puis-je garder à bord ?*
  How much luggage can I take on board?
- *Vous n'avez droit qu'à un bagage à bord.*
  You are only allowed to take one bag on board.
- *Montrez votre carte d'accès à bord.*
  Show your boarding pass.

> **Les bagages**
>
> Attention, le mot **luggage** signifie « les bagages ». Pour parler d'un *bagage*, dites **a piece of luggage** – ou bien **a bag** (*sac*), **a suitcase** (*valise*), etc.

LES MOTS DE L'AÉROPORT

- *être à l'heure* | **be on schedule, on time**
- *annuler* | **cancel**
- *aterrir* | **land**
- *bagages à main* | **hand/carry-on luggage**
- *carte d'embarquement* | **boarding pass/card**
- *ceinture de sécurité* | **seat-belt**
- *décoller* | **take off**
- *départ* | **departure**
- *douane* | **customs**
- *embarquer* | **board**
- *enregistrer* | **check in**
- *équipage* | **cabin crew**
- *personnel au sol* | **ground crew**
- *horaire* | **schedule/timetable**
- *retard* | **delay**
- *hall de départ* | **departure lounge**
- *vol* | **flight**

Vous arrivez au comptoir d'enregistrement avec un excédent de bagages. Rédigez la conversation avec l'employé.

📖 55. CRÉER DES MOTS

LES PRÉFIXES

Ils ne font pas changer le mot de catégorie grammaticale (un adjectif reste un adjectif, etc.) mais ils changent le sens des mots.

■ **easy → uneasy** | facile → pas facile (adjectif)

Un-, dis-, im-, il-, ir-, non- expriment le contraire.
■ **unusual** | *inhabituel*
■ **inexpensive** | *pas cher*
■ **dislike** | *ne pas aimer*

Mis- indique une erreur.
■ **misunderstand** | *mal comprendre*

Over- indique un excès.
■ **overestimate** | *surestimer*
■ **overheated** | *surchauffé*

Under- exprime l'insuffisance.
■ **underpopulated** | *sous-peuplé*

LES SUFFIXES

Un suffixe fait changer le mot de catégorie : il peut transformer un adjectif en nom, un adjectif en adverbe et un verbe en adverbe.

-less transforme un nom en adjectif (sens privatif).
■ **moneyless** | *sans argent*

-NESS transforme un adjectif en nom abstrait.
- **softness** | *douceur*

-FUL transforme un nom en adjectif.
- **hopeful** | *plein d'espoir*

-ABLE transforme un verbe ou un nom en adjectif.
- **understandable** | *compréhensible*

-ER transforme un verbe en nom. Il indique une personne qui agit.
- **employer** | *employeur*

-EE transforme un verbe en nom. Il indique une personne qui subit.
- **employee** | *employé*

-LY transforme un adjectif en adverbe.
- **calmly** | *calmement*

-HOOD transforme un nom concret en un nom abstrait.
- **childhood** | *enfance*

 Traduisez les mots suivants en français.
homeless – overpriced – underestimate – lovable – effectiveness

 Donnez le contraire de ces adjectifs.
kind – believable – efficient – credible – tasteful

📖 56. FAIRE DES SUPPOSITIONS

En fonction des formes verbales que l'on utilise pour évoquer l'irréel, on indiquera que l'on considère qu'une hypothèse est réalisable, peu probable ou totalement impossible.

FAIRE UNE PRÉDICTION

On utilisera **if** suivi du présent simple pour indiquer que la réalisation d'une hypothèse dépend d'un élément qui est tout à fait susceptible de se produire. Si la condition se réalise, alors la conséquence se produira. Le verbe de la principale est dans ce cas conjugué avec **will**.

- **If you come I will buy you an ice-cream.**
  Si tu viens, je t'achèterai une glace.

> Comme **if**, **when** est suivi du présent simple quand il permet de faire une prédiction.
> **I will give him the money when he arrives.**
> *Je lui donnerai l'argent quand il arrivera.*
> Il n'est suivi de **will** + V que quand il introduit une subordonnée interrogative indirecte.
> **I wonder when he will come.**
> *Je me demande quand il viendra.*

IMAGINER

Quand on envisage une possibilité sans penser qu'elle peut se réaliser, on utilise l'auxiliaire **would**, la forme passée de **will**, dans la subordonnée. La principale est alors au prétérit, pour marquer la rupture avec le moment d'énonciation.

■ **If I had a dog, I would never be alone.**
Si j'avais un chien, je ne serais jamais seul.

> Attention, quand on fait une hypothèse avec **be**, celui-ci prend la forme **were** à toutes les personnes.
> **If I were you, I wouldn't do that.**
> *Si j'étais toi, je ne ferais pas ça.*

REGRETTER... OU PAS !

Quand on imagine ce qui aurait pu se passer (mais ne risque plus d'arriver !), on utilise le **past perfect** dans la principale et la forme **would have + V-en** dans la principale.

■ **I would have come if you had told me earlier.**
Je serais venue si tu m'en avais parlé plus tôt.

 Traduisez ces phrases.

a. Je t'enverrai une carte postale quand j'aurai ton adresse.

b. Je t'enverrais une carte postale si j'avais ton adresse.

c. Je t'aurais envoyé une carte postale si j'avais eu ton adresse.

 Mettez les verbes à la forme qui convient.

a. If you (meet) her, you would understand me.

b. Call me when you (arrive) in Oslo.

📖 57. LE PASSIF

Le passif est beaucoup plus utilisé en anglais qu'en français. Il permet de faire porter l'attention sur le sujet grammatical.

FORME

Be + V-en. L'auxiliaire **be** peut être conjugué.

■ **This house was sold in 1985.**

   Cette maison a été vendue en 1986.

■ **This house will be sold soon.**

   Cette maison sera bientôt vendue.

Be peut également être associé à un modal.

■ **It can't be seen for the moment.**

   On ne peut pas le voir pour l'instant.

L'agent (celui qui est à l'origine de l'action), quand il est mentionné, est introduit par la préposition **by**.

■ **Mona Lisa was painted by L. Da Vinci around 1506.**

   La Joconde a été peinte par L. De Vinci vers 1506.

EMPLOI

Le passif est utilisé quand l'énonciateur s'intéresse davantage au patient qu'à l'agent.

■ **He was killed around 10 :45.**

   Il a été tué vers 10 h 45.

Le complément d'agent est souvent omis, soit qu'on ne s'y
intéresse pas du tout, soit qu'on ne le connaisse pas. Il est
souvent utilisé en anglais là où le français utilisera le pronom
impersonnel « on ».
You were seen with him just before the murder!
On vous a vu avec lui juste avant le meurtre !

Les verbes qui supportent deux compléments peuvent
être mis à la forme passive, l'un ou l'autre des
compléments devenant sujet grammatical.

■ **This ring was offered to Mrs Jones. / Mrs Jones
was offered this ring.** | *Cette bague a été offerte à
Mme Jones.*

 Mettez ces phrases au passif. N'indiquez le
complément d'agent que s'il est nécessaire.

a. Many people will watch my film!

b. Somebody stole my car!

c. Julia found the solution.

d. Someone told me it was really beautiful.

e. Jeremy has locked the door.

 Construisez des phrases passives avec les
éléments suivants.

a. The washing-up – do – every morning.

b. Look! The window – break – your son!

c. Your parents – call – very soon.

d. After the winter, road – repair.

e. The car is not here! It – must – steal!

 58. AU TRAVAIL

QUE FAITES-VOUS ?

- *Quelle est votre profession ?*
  What is your occupation?
- *Je suis programmeur.*
  I am a computer analyst.
- *Je suis infirmier(e).*
  I am a nurse.
- *Je suis assistante sociale.*
  I am a social worker.
- *Je dirige ma propre affaire.*
  I run my own business.
- *Je suis retraité.*
  I am retired.

Que faites-vous ?

Cette question peut porter sur votre métier ou sur ce que vous faites en ce moment.
What do you do? – I am a teacher.
Que faites-vous ? – Je suis professeur.
What are you doing? – I am revising my English.
Que faites-vous ? – Je suis en train de réviser mon anglais.

COMMUNIQUER AVEC SES SUPÉRIEURS

- *Bonjour monsieur. Puis-je vous poser une question ?*
  Good morning, Mr. Jones, may I ask you a question?

■ *Certainement. En quoi puis-je vous aider ?*
Certainly, how can I help you?

■ *Il semble que nous ayons un problème avec ce compte.*
We seem to be having a problem with this account.

■ *Il faudrait que nous nous réunissions pour en parler.*
We'd better get together to discuss the situation.

■ *Est-ce que 16 heures vous irait ?*
Would 4 o'clock suit you?

■ *Pourriez-vous m'aider dans ce dossier ?*
Do you think you could help me with this?

■ *Bien sûr, avec plaisir.*
Of course. I'd be happy to help you.

Les bons usages

On s'adresse à quelqu'un en l'appelant **Mr. Jones**, ce qui serait malvenu en français – on dit seulement « Bonjour monsieur ». Toutefois, aux États-Unis, il n'est pas rare que tout le monde s'appelle par son prénom.

Vous rencontrez votre patron pour parler d'un dossier qui pose problème. Rédigez le début de la conversation.

59. LES ADVERBES

À QUOI SERT UN ADVERBE ?

À préciser le lieu, le moment, la manière, la fréquence, ou une opinion. Un adverbe nuance le sens d'un verbe, d'un adjectif, d'un autre adverbe ou d'une phrase entière.

- **I am sincerely sorry.**

  Je suis sincèrement désolée.

LES ADVERBES DE TEMPS
- **already** *déjà*
- **now** *maintenant*
- **today** *aujourd'hui*
- **soon** *bientôt*
- **then** *ensuite*
- **yesterday** *hier*
- **tomorrow** *demain*
- **tonight** *ce soir*

LES ADVERBES DE LIEU
- **above** *au-dessus*
- **anywhere** *n'importe où*
- **away** *au loin*
- **behind** *derrière*
- **everywhere** *partout*
- **here** *ici*
- **inside**, **outside** *à l'intérieur, à l'extérieur*
- **nowhere** *nulle part*
- **somewhere** *quelque part*
- **there** *là*

les adverbes de manière

La terminaison **-ly** accolée à un adjectif donne un adverbe de manière (comme en français, la terminaison « -ment »).

- **nice** → **nicely** *agréablement*
- **warm** → **warmly** *chaleureusement*

LES ADVERBES DE FRÉQUENCE
- **never** *jamais*
- **sometimes** *parfois*
- **frequently** *fréquemment*
- **often** *souvent*
- **usually** *d'habitude*
- **always** *toujours*

LES ADVERBES DE DEGRÉ
- **too** *trop*
- **very** *très*
- **more** *plus*
- **nearly** *presque*
- **enough** *assez*

 Repérez les adverbes et donnez leur catégorie.

    a. I never have enough time.

    b. Surprisingly, I have never seen him here.

    c. I'm sure you will be really comfortable here.

    d. Yesterday, I saw a very good movie.

🗣 60. OÙ PLACER LES ADVERBES ?

LA RÈGLE GÉNÉRALE

Les adverbes se placent devant le mot ou groupe de mots qu'ils modifient.

■ **He was extraordinarily calm.**
   Il était extraordinairement calme.

> Attention, on ne sépare jamais un verbe de son complément.
> **I like tea very much.**
> *J'aime beaucoup le thé.*

LES ADVERBES DE MANIÈRE

Ils se placent généralement après le complément, mais parfois aussi entre le sujet et le verbe.

■ **She speaks English very well.**
   Elle parle très bien anglais.

■ **She really likes her job.**
   Elle aime vraiment son travail.

LES ADVERBES DE FRÉQUENCE

Ils se placent :

. avant le verbe, lorsque ce dernier a une forme simple,

. après le premier auxiliaire lorsque le verbe est à une forme composée,

. après **be**.

■ **He often goes to the cinema.**
   Il va souvent au cinéma.

■ **He has never been to the opera.**

Il n'a jamais été à l'opéra.

■ Les locutions adverbiales de fréquence se placent en fin de phrase.

every day ➜ *tous les jours*

once a week ➜ *une fois par semaine*

LES ADVERBES DE LIEU ET DE TEMPS

Soit en début de phrase, soit en fin de phrase.

■ **Here, everybody can speak English.**

Ici, tout le monde parle anglais.

LES ADVERBES DE DEGRÉ

Ils se placent devant l'adjectif ou l'adverbe qu'ils modifient.

■ **It's too hot. I am very tired.**

Il fait trop chaud. Je suis très fatigué(e)

> Attention, enough se place après l'adjectif ou l'adverbe qu'il modifie.
> **This is good enough for him.**
> *C'est assez bon pour lui.*

 Traduisez.

a. Je crois vraiment ce qu'elle dit.

b. Il ne m'aide jamais.

c. Il est assez intelligent pour comprendre.

d. Il aime beaucoup lire.

ANNEXES

BIEN PRONONCER L'ANGLAIS

Tous les Français qui apprennent l'anglais se disent que lire l'anglais est plutôt facile – mais que comprendre l'anglais parlé est une autre paire de manches ! Parfois, on ne reconnaît même pas les mots qu'on saurait lire sans difficulté.

LES BONNES EXCUSES

Les Français ont bien des excuses !
– L'anglais possède vingt-deux sons vocaliques (deux fois plus que le français !) alors que l'alphabet latin que nous partageons ne comporte que six lettres dites « voyelles ».
– Les Anglais ont un système d'accentuation très fort – accent de mot et accent de phrase – qui n'a pas d'équivalent en français. On n'entend pas toutes les syllabes en anglais.
– Et puis, « ils parlent vite », entend-on. Cela n'est pas forcément vrai mais c'est l'impression que nous avons.

POURQUOI SE DONNER DU MAL POUR BIEN PRONONCER ?

Si nous vous invitons à mieux prononcer l'anglais, c'est surtout pour mieux le comprendre : quand on sait produire un son, on le reconnaît. Quand on sait jouer avec l'intonation et l'accentuation, on en comprend les mécanismes, et donc on reconnaît les mots et les phrases. Et, bien sûr, si vous prononcez correctement, vous vous ferez mieux comprendre.

LES SONS : LES VOYELLES
Les voyelles anglaises présentent toutes des différences plus ou moins marquées avec les voyelles françaises qui leur sont proches.

LES VOYELLES SIMPLES
Les voyelles se répartissent en deux groupes : les voyelles dites « longues » ou « tendues », que l'on reconnaît par le signe « : » qui suit leur symbole et les voyelles dites « brèves » ou « non tendues » qui n'ont pas ces « : ».

Le son de *sit*
Le son anglais de **sit** est plus à l'avant que le son français de « site ». Il est plus court et moins tendu, et se rapproche du [e]. Les lèvres s'entrouvrent à peine. Exerçons-nous à comparer **tick** et « tique ».

Le son de *tea*
Il est beaucoup plus à l'arrière que le son français de « type » et beaucoup plus tendu. Les lèvres fournissent un effort et s'étirent vers les oreilles. C'est pour cela que l'on vous recommande de prononcer le mot **cheese** pour avoir un joli sourire lorsque l'on vous prend en photo. Exerçons-nous à comparer aussi **mean** et « mine ».

Le son de *vet*

Relativement proche du son français de « bête » ou
« belle » ; juste un peu plus bref. Exerçons-nous à faire la
différence entre « bête » et **bet** et à prononcer **I met the
vet at Ben's**.

Le son de *cat*

Il se situe entre le « a » et le « è » du français – mais plus
près du « è ». Prononcez « a » en pensant à « è » – un peu
comme quand on est vraiment dégoûté ! Exerçons-nous
à prononcer **I'm bad at maths!**

Le son de *bar*

Très en arrière, dans le fond de la gorge. Entre le « a »
et le « oh » que l'on prononce quand on est choqué.
Exerçons-nous à faire la différence entre « barre » et
bar ou entre « quart » et **car**, ou à prononcer **This is
Barbara's car**.

Le son de *bush*

Beaucoup moins tendu, plus en avant et plus bref que
le son français de « boule ». Exerçons-nous à faire la
différence entre « boule » et **bull**, ou à prononcer **I took
a book**.

Le son de *moon*

Plus en arrière que le son français de « boule ». Les lèvres
s'étirent vers l'avant comme dans un moment de surprise
amusée. Exerçons-nous à faire la différence entre
« coule » et **cool** – presque comme une tourterelle qui
roucoule – ou à prononcer **The moon was blue**.

Le son de *pot*

Court, très détendu, plus ouvert que le « o », un peu comme quand on prononce « bof ». Exerçons-nous à prononcer **a pot of hot coffee**.

Le son de *door*

Très en arrière, très profond dans la gorge, un peu comme on prononce « oh » quand on est vraiment choqué. Exerçons-nous à faire la différence entre « dort » et **door**, ou à prononcer **There are four doors**.

Le son de *cut*

Beaucoup moins tendu que le son français de « rue », entre celui de « kit » et celui de « pot » ; au milieu de la bouche. Exerçons-nous à faire la différence entre « but » et **but** ou entre « culte » et **cult**, ou à prononcer **The sun was dull**.

Le son de *bird*

Très ouvert, beaucoup moins tendu que le français du mot « nœud », plus proche du mot « cœur ». Les lèvres restent relâchées. Exerçons-nous à faire la différence entre « terme » et **term** ou à prononcer **Turn around Sir**.

Le son de *again*

Voici une voyelle que, par définition, on n'entend presque pas ! Cette voyelle neutre n'existe que dans les syllabes inaccentuées des mots de plusieurs syllabes. Elle n'existe pas dans les mots d'une syllabe. Elle est très fréquente pour la forme faible des mots grammaticaux. **father – tradition – attention – children**

LES DIPHTONGUES

Comme leur nom l'indique, les diphtongues sont composées de deux sons vocaliques. Rappelons que le français a aussi des diphtongues comme dans les mots « veille » ou « maille ». Mais la différence est qu'en anglais on accentue très fortement la première voyelle et qu'on glisse sur la seconde, tandis qu'en français, les deux sons vocaliques sont plutôt juxtaposés et ont une importance équivalente. Exerçons-nous à comparer **my** et « maille ».

Le son de *by*
Mais aussi : **lie** – **my**

Le son de *mail*
Mais aussi : **tale** – **tame**

Le son de *cow*
Mais aussi : **town** – **clown**

Le son de *boy*
Mais aussi : **toy** – **coin**

Le son de *cold*
Mais aussi : **sold** – **blow** – **so**

Le son de *beer*
Mais aussi : **clear** – **dear**

Le son de *pair*
Mais aussi : **care** – **rare**

Le son de *poor*
Mais aussi : **tour** - **tourist**

LES SONS : LES CONSONNES

Il y a sans doute moins de difficultés dans le domaine des consonnes, car, même si vous estropiez un peu les

consonnes, vous avez de bonnes chances d'être compris
– et il y a même des Anglais pour trouver adorable
d'entendre « Ze dort » au lieu de **The door**…
Quand même, quelques consonnes difficiles à prononcer
pour les Français méritent toute votre attention.

Le < th >

Cette consonne typiquement anglaise – et très courante
– n'a pas d'équivalent en français. Elle ne ressemble
surtout pas au « z » ou au « s » mais se situe plutôt vers
le « f » ou le « v ». Pour la prononcer correctement, vous
devez avoir l'impression d'avoir un cheveu sur la langue :
il vous faut insérer la langue entre les dents pour
empêcher l'air de passer.
Cette consonne correspond à deux sons :
. le son sourd : **third – think – through**
. le son sonore : **there – this – then – they**

Le < r >

Le « r » anglais ne ressemble pas du tout au « r » français
mais il se rapproche un peu de la prononciation
française du « w ». Le son ne se situe pas dans la gorge
mais plus en avant de la bouche. Il faut arrondir les
lèvres et retrousser le bout de la langue.
Exerçons-nous à distinguer **rat** et « rate », ou à prononcer
rhum à l'anglaise, ou à prononcer **There's a red rose**.

Le < h > expiré

Voilà une consonne difficile : les Français ont une
fâcheuse tendance à l'oublier quand elle existe et à en
mettre là où il n'en faut pas !

Le plus souvent en position initiale, elle ressemble un peu au « h » aspiré du français mais il faut expirer. Placez la main devant votre bouche, vous devez sentir l'air – ou, mieux, placez un miroir et vérifiez qu'il s'embue.
Exerçons-nous à prononcer **hot and high ou a heavy head**.

Le < ng >

Alors qu'en français on entend successivement un « n » puis un « g » dans les mots adoptés de l'anglais comme « parking », « dancing », « Boeing » ou « footing », en anglais, ces deux consonnes ne font qu'un seul son et se nasalisent.
Exerçons-nous à prononcer : **a singer – a finger**.
Il faut veiller particulièrement à ne pas accentuer les finales des mots en -**ing** : **he's coming – it's raining**.

Le < ch > et le < sh >

Tandis que les lettres « sh » correspondent exactement au « ch » français, les lettres « ch » en anglais se prononcent comme dans « atchoum ». Il faut bien respecter cette règle pour ne pas confondre certains mots.
Il ne faut pas confondre **sheep** et **cheap** ou **ship** et **chip**, ou encore **shop** et **chop**.

RYTHME, ACCENTUATION, INTONATION

On a longtemps cru qu'il suffisant de bien préciser la valeur des sons pour bien parler anglais… Mais cela ne suffit pas ! Il faut aussi s'entraîner à intégrer correctement ces sons dans les mots ou dans les phrases pour se rapprocher de l'authentique et – par la même occasion – mieux reconnaître les mots à l'oral.

Le français ne comporte ni accent de mot – on prononce toutes les syllabes avec une intensité relativement identique – ni accent de phrase, sauf dans les cas où on exprime la surprise, l'insistance, l'interrogation, etc. Un léger accent porte naturellement sur la fin de la phrase. En anglais, en revanche, on accentue très fortement certaines parties des mots ou des phrases et très faiblement d'autres parties.

L'ACCENT DE MOT

Tous les mots comportant plus d'une syllabe comportent une syllabe nettement accentuée. Le déplacement de l'accent de mot peut vous rendre tout simplement incompréhensible pour un anglophone.

Cet accent est signalé dans les dictionnaires, soit par un petit accent placé devant la syllabe accentuée, soit par des caractères en gras.

Exerçons-nous à prononcer les mots suivants en accentuant fortement les syllabes signalées en gras :
A**me**rica – tra**di**tion – **cul**ture – i**ma**gine – gene**ra**tion – **in**fluence – es**sen**tial – **ins**trument – **vi**olence

RYTHME ET ACCENT DE PHRASE

Le rythme spécifique de l'anglais vient de la succession de mots accentués – auxquels on accorde du temps et, surtout, de l'énergie – et de mots inaccentués sur lesquels on « glisse » au point qu'on les devine plus qu'on ne les entend.

Les mots accentués

À l'intérieur d'une phrase, le ou les mots importants sont plus accentués que les autres.

Par exemple, en l'absence de mise en valeur particulière, il y a un seul mot très accentué dans cette phrase : **This is even better than I thought.**

Les mots grammaticaux

De nombreux mots grammaticaux sont normalement inaccentués. Ceci concerne les auxiliaires – ils ont ce que l'on appelle une « forme faible » – les prépositions, les articles, les pronoms, les adjectifs possessifs, etc. Par exemple, He's been with us for **ten years**, ou cette autre phrase : He **takes** us into the **free**zing **outdoors** to see the **beau**ty of the **night**.

Cas particuliers

Comme en français, la place de l'accent principal peut varier selon ce que l'on veut dire. Elle fait sens. Par exemple, si on accentue **she** dans la phrase **She did it**, celle-ci signifie : « C'est elle qui l'a fait. »

L'INTONATION

L'intonation normale de l'anglais est descendante. Elle n'est pas facile à reproduire, car elle implique que l'on s'affirme, ce qui est parfois difficile dans une langue que l'on ne possède pas complètement.

Exerçons-nous à répéter n'importe quelle phrase courte en prenant soin de baisser la voix à la fin. Par exemple, **I'll call Jennifer tomorrow**.

L'intonation montante invite votre interlocuteur à réagir par une réponse, ou une confirmation. Par exemple : **Are you sure it's interesting?** Dans cette dernière phrase, la voix baisse jusqu'à **in**(teresting) puis remonte nettement sur les autres syllabes de **interesting**

LES VERBES IRRÉGULIERS

arise	arose	arisen	*s'élever*
awake	awoke	awoken	*(se) réveiller*
be	was	been	*être*
bear	bore	borne	*supporter*
beat	beat	beaten	*battre*
become	became	become	*devenir*
begin	began	begun	*commencer*
bend	bent	bent	*(se) courber*
bet	bet	bet	*parier*
bind	bound	bound	*lier*
bite	bit	bitten	*mordre*
bleed	bled	bled	*saigner*
blow	blew	blown	*souffler*
break	broke	broken	*casser*
breed	bred	bred	*donner naissance, élever*

bring	brought	brought	*apporter*
broadcast	broadcast	broadcast	*transmettre*
build	built	built	*construire*
burn	burnt/ burned	burnt/ burned	*brûler*
burst	burst	burst	*éclater*
buy	bought	bought	*acheter*
cast	cast	cast	*jeter, projeter*
catch	caught	caught	*attraper*
choose	chose	chosen	*choisir*
come	came	come	*venir*
cost	cost	cost	*coûter*
cut	cut	cut	*couper*
deal	dealt	dealt	*distribuer*
dig	dug	dug	*creuser*
do	did	done	*faire*
draw	drew	drawn	*dessiner*
dream	dreamt/ dreamed	dreamt/ dreamed	*rêver*

drink	drank	drunk	*boire*
drive	drove	driven	*conduire*
eat	ate	eaten	*manger*
fall	fell	fallen	*tomber*
feed	fed	fed	*nourrir*
feel	felt	felt	*sentir*
fight	fought	fought	*combattre*
find	found	found	*trouver*
flee	fled	fled	*fuir*
fling	flung	flung	*lancer*
fly	flew	flown	*voler*
forbid	forbade	forbidden	*interdire*
forget	forgot	forgotten	*oublier*
forgive	forgave	forgiven	*pardonner*
freeze	froze	frozen	*geler*
get	got	got	*obtenir*
give	gave	given	*donner*
go	went	gone	*aller*

grow	grew	grown	*pousser*
hang	hung	hung	*pendre*
have	had	had	*avoir*
hear	heard	heard	*entendre*
hide	hid	hidden	*cacher*
hit	hit	hit	*frapper*
hold	held	held	*tenir*
hurt	hurt	hurt	*faire mal*
keep	kept	kept	*garder*
kneel	knelt	knelt	*s'agenouiller*
know	knew	known	*savoir*
lay	laid	laid	*placer*
lead	led	led	*conduire*
lean	leant/ leaned	leant/ leaned	*s'appuyer*
leap	leapt/ leaped	leapt/ leaped	*sauter*
learn	learnt/ learned	learnt/ learned	*apprendre*
leave	left	left	*quitter*

lend	lent	lent	*prêter*
let	let	let	*laisser*
lie	lay	lain	*être couché*
light	lit/lighted	lit/lighted	*allumer*
lose	lost	lost	*perdre*
make	made	made	*faire*
mean	meant	meant	*vouloir dire*
meet	met	met	*rencontrer*
mow	mowed	mown	*tondre*
pay	paid	paid	*payer*
put	put	put	*mettre*
read	read	read	*lire*
ride	rode	ridden	*aller (à cheval ou à bicyclette)*
ring	rang	rung	*sonner*
rise	rose	risen	*se lever*
run	ran	run	*courir*
saw	sawed	sawn	*scier*

say	said	said	*dire*
see	saw	seen	*voir*
seek	sought	sought	*chercher*
sell	sold	sold	*vendre*
send	sent	sent	*envoyer*
set	set	set	*placer*
sew	sewed	sewn	*coudre*
shake	shook	shaken	*secouer*
shine	shone	shone	*briller*
shoot	shot	shot	*tirer*
show	showed	shown	*montrer*
shrink	shrank	shrunk	*rétrécir*
shut	shut	shut	*fermer*
sing	sang	sung	*chanter*
sink	sank	sunk	*(s')enfoncer*
sit	sat	sat	*(s' asseoir*
sleep	slept	slept	*dormir*
slide	slid	slid	*glisser*

smell	smelt/ smelled	smelt/ smelled	*sentir*
speak	spoke	spoken	*parler*
speed	sped/ speeded	sped/ speeded	*se presser*
spell	spelt/ spelled	spelt/ spelled	*épeler*
spend	spent	spent	*dépenser*
spit	spat	spat	*cracher*
split	split	split	*diviser*
spoil	spoilt/ spoiled	spoilt/ spoiled	*abîmer, gâter (un enfant)*
spread	spread	spread	*étaler*
spring	sprang	sprung	*jaillir*
stand	stood	stood	*être debout*
steal	stole	stolen	*voler*
stick	stuck	stuck	*coller*
sting	stung	stung	*piquer*
stink	stank	stunk	*sentir mauvais*

stride	strode	stridden	*marcher*
strike	struck	struck	*frapper*
swear	swore	sworn	*jurer*
sweep	swept	swept	*balayer*
swim	swam	swum	*nager*
take	took	taken	*prendre*
teach	taught	taught	*enseigner*
tear	tore	torn	*déchirer*
tell	told	told	*dire*
think	thought	thought	*penser*
throw	threw	thrown	*jeter*
understand	understood	understood	*comprendre*
upset	upset	upset	*troubler*
wake	woke	woken	*réveiller*
wear	wore	worn	*porter*
weep	wept	wept	*pleurer*
win	won	won	*gagner*
write	wrote	written	*écrire*

LES CORRIGÉS DES EXERCICES

Page 17

a. How old is he? He is 29 (years old).

b. Are you hungry? Are you cold?

c. Is there a coffee machine here?

Page 19

a. Je prends un bain quand je rentre à la maison.

b. Je me suis vraiment bien amusé(e).

c. Il a toujours tort.

d. Je prends mon petit déjeuner à 7h30.

e. Mon frère a 26 ans.

Page 25

a. Do you want to come with us?

b. This is my friend Harriet. Do you know her?

c. My bags are heavy. There are bottles in them.

d. Look at this branch. There is a bird on it.

Page 29

1.

Four hundred and twenty-six.

One thousand, two hundred and fifty-eight.

Nine thousand, nine hundred and ninsty-nine.

Twelve thousand, five hundred and forty-six.

Five thousand, six hundred and sventy-four.

2.
There were three thousand people and hundreds of dogs.

Page 31

1.
Departure: seven fifteen; nine fifty-five; two twenty.
Arrival: nine twenty-five; twelve five; four thirty.

2.
Today, we'll have a meeting from a quarter to four to half past six. Try to be there at twenty to four.

Page 33

a. Monday, the twenty-fifth of January.
   Monday, January the twenty-fifth.
b. Friday, the thirteenth of February
   Friday, February the thirteenth.
c. Thursday, the fourteenth of November.
   Thursday, November the fourteenth.
d. Saturday, the twentieth of March.
   Saturday, March the twentieth.

Page 35

1.
a. He teaches English.
b. He earns a lot of money.
c. He does the washing-up every evening.
d. He drives to school every morning.

2.

a. Does John work in London?

John does not work in London.

b. Do they go to Canada every summer?

They do not go to Canada every summer.

c. Does she sell exotic fruit?

She does not sell exotic fruit.

Page 37

a. He is sitting in front of his wife.

b. Are you coming with us?

c. She is not going to work today.

d. Are they playing in the garden?

e. She is playing the piano. It's beautiful.

f. They are not working. They are watching TV.

Page 39

1.

a. Look! She is wearing the same dress as mine.

b. They are watching TV again. They should go to bed now!

c. Where do you live? In England or in the USA?

d. The sun rises in the east.

e. They say they travel a lot.

2.

a. She is always crying.

b. She loves everything that comes from India.

c. In this school, students wear uniforms.

d. I regularly go to the hairdresser's.

Page 45

1.

a. I bought that at the supermarket.

b. She was watching TV.

c. No. They hated the film.

d. She went home last week.

e. No. They were cooking dinner.

2.

liked – opened – chatted – stayed – loved – cried
– robbed

Page 47

a. She was walking quietly. Suddenly a car stopped next to her.

b. He saw the shoes he wanted, entered the shop and bought them.

c. He was having a shower when someone knocked at the door.

d. It was a quiet evening. The children were playing cards and their parents were having dinner with some friends.

e. He did not see the car: he was talking on his mobile phone.

Page 55

a. What are they looking for?

b. At what time does the movie start?

c. Who told you she was sick?

d. How often do you go to the hairdresser's?

Page 57

a. Kate lives in New York.

b. It's very far from here.

c. We'll fly to Sydney for the holidays.

d. He was walking along / in / down / up the street.

e. He swam across the river.

f. The plane flies from Los Angeles to Washington.

Page 59

a. I'm looking for the football ground.

b. Can you show me the way?

c. I am going there too. Come with me.

d. How far is it

Page 67

1.

Noms comptables : dog – animal – man – bottle – coin – dollar – cup – plate – chair – bag

Noms non comptables : art – love – advice – information – rice – sugar – water – electricity – power – money

2.

boats – matches – potatoes – babies – mice – taxes – women – postmen – branches – ladies

Page 69

a. Jane is a teacher.

b. She is an extremely nice person.

c. She likes children.

d. She lives in Kensington Street.

Page 71

a. The Smiths live in Reims.

b. They have a nice house in front of the cathedral.

c. They have a nice car.

d. I don't know what the brand of their car is.

Page 75

a. He has come with his best friend.

b. Mary has brought her computer.

c. My sister's shoes are black.

d. The boy's clothes are in the suitcase.

Page 77

a. My father has a big red car.

b. I was fascinated by the show.

c. The show was fascinating.

d. I know a very rich Englishman.

Page 79

a. A plane is faster that a train.

b. A Mercedes is more expensive than a Toyota.

c. The Rolls Royce is the most expensive car in the world.

d. My brother is better at maths than my friend.

Page 83

We arrived in Mexico City two days ago. We're going to stay two weeks here before going to Texas. Thinking of you a lot. But I am really having a good time. The weather is great. The best thing is the food. It is delicious. The worst thing is the traffic. It is so noisy and

polluted.
See you soon and take care. Fred

Page 85

a. There are some / no books here.
b. Sorry, I have no milk left.
c. We haven't got any bananas for the moment.
d. I haven't seen anybody around.

Page 87

a. I'll be here only a few minutes, and then I'll leave.
b. Not many people know this place
c. It's easy to go there because there are a lot of / many trains.
d. If you work far from home, it takes too much time.

Page 93

1.
Prétérit : yesterday – last week – at 10.30 – two days ago
Present perfect : already – since Monday – for three years – never

2.
a. When he arrived, he started crying: he had forgotten his English book!
b. What have you been doing? You are covered with paint!

Page 95

a. In two days, he'll be here.
b. I am tired. I'm going to have a little sleep.
c. What are we doing now?

d.The English lesson starts at a quarter to six.

e.I am certain he will come.

Page 97

1.

a.I have just bought this brand new phone.

b.It was very cheap; that is why I bought it.

c.Look at this little girl there, she is so sweet!

d.That was in the 1960s; things have changed.

e.I hate that man!

2.

a.That party was super.

b.Look ! These are the prettiest girls in the school.

c.This is my new neighbour, Jeremy.

d.Look at that poster, over there!

e.This is exactly what I wanted.

Page 101

2NTE	Tonight
LOL	Laugh out loud
B4	Before
F2F	Face to face
G2CU	Good to see you
MSG	Message
IM	Instant message
PLZ	Please

Page 103

1.

a.The Williams might come next summer.

b. You can't be 20 already!

c. John might have this book.

d. He might have seen you.

2.

a. Elle doit en avoir marre de ses amis.

b. Cela doit être désagréable d'être critiqué tout le temps.

c. Il se pourrait qu'ils soient en colère s'ils savaient que vous êtes ici.

d. Cela doit être difficile d'élever un enfant.

Page 105

a. It's very cold. You must wear a pullover.

b. I'll run. I'm sure I can get home in 10 minutes.

c. Remember! You mustn't forget to call me as soon as you arrive.

Page 109

a. He made me buy this blue skirt.

b. They have had a house built next to here.

c. They let their daughter go.

d. Don't let him come in.

Page 115

1.

For: two hours – three months – years – two weeks

Since: this morning – yesterday – the 19th century – 10 o'clock

2.

a. They have been married for 22 years.

b. They met in 1983.

Five years ago, they had a child.
.I have has this car since March.

.ns abri – surévalué – sous-estimé – adorable
 efficacité

.nkind – unbelievable – inefficient – incredible –
istasteful / tasteless

.I'll send you a postcard when I have your address.
.I'd send you a post card if I had your address.

.If you met her, you would understand me.
.Call me when you arrive in Oslo.
.They will come when you invite them.

.My film will be seen by many people.
.My car has been stolen.
.The solution was found by Julia.
.I was told it was really beautiful.
.The door has been locked by Jeremy.

.The washing-up is done every morning.

b. The window has been broken by your son.

c. Your parents will be called very soon.

d. After the winter, roads will be repaired.

e. The car is not here! It must have been stolen!

Page 128

a. I never have enough time. (fréquence / degré)

b. Surprisingly, I have never seen him here. (manière, fréquence, lieu)

c. I'm sure you will be really comfortable outside. (manière – lieu)

d. Yesterday, I saw a very good movie. (temps, degré)

Page 130

a. I really believe what she says.

b. He never helps me.

ç. He is intelligent enough to understand.

d. Il aime beaucoup lire.